IL PRINCIPE
NICCOLÒ MACHIAVELLI

PRÍNCIPE

NICOLAU MAQUIAVEL

‹ns

SÃO PAULO, 2021

O príncipe *(The Prince [Il Principe])*
Copyright © 2018 by Novo Século Editora Ltda.

EDITORIAL
Jacob Paes
João Paulo Putini
Nair Ferraz
Rebeca Lacerda
Renata de Mello do Vale
Vitor Donofrio

TRADUÇÃO
Dominique Makins

REVISÃO
Equipe Novo Século

PROJETO GRÁFICO, CAPA E DIAGRAMAÇÃO
Vitor Donofrio

Texto de acordo com as normas do Novo Acordo Ortográfico da Língua Portuguesa (1990), em vigor desde 1º de janeiro de 2009.

Dados Internacionais de Catalogação na Publicação (CIP)
(Câmara Brasileira do Livro, SP, Brasil)

Machiavelli, Niccolò
O príncipe
Nicolau Maquiavel; [tradução de Dominique Makins, a partir da edição inglesa de W.K. Marriot]
Barueri, SP: Novo Século Editora, 2018.

Título original: The Prince [Il Principe]

1. Política I. Marriot, W.K. II. Título. III Série

14-11492   CDD-320

Índice para catálogo sistemático:
1. Ciência Política 2. Política 355

ns
uma marca do
Grupo Novo Século

Alameda Araguaia, 2190 – Bloco A – 11º andar – Conjunto 1111
CEP 06455-000 – Alphaville Industrial, Barueri – SP – Brasil
Tel.: (11) 3699-7107
www.gruponovoseculo.com.br | atendimento@gruponovoseculo.com.br

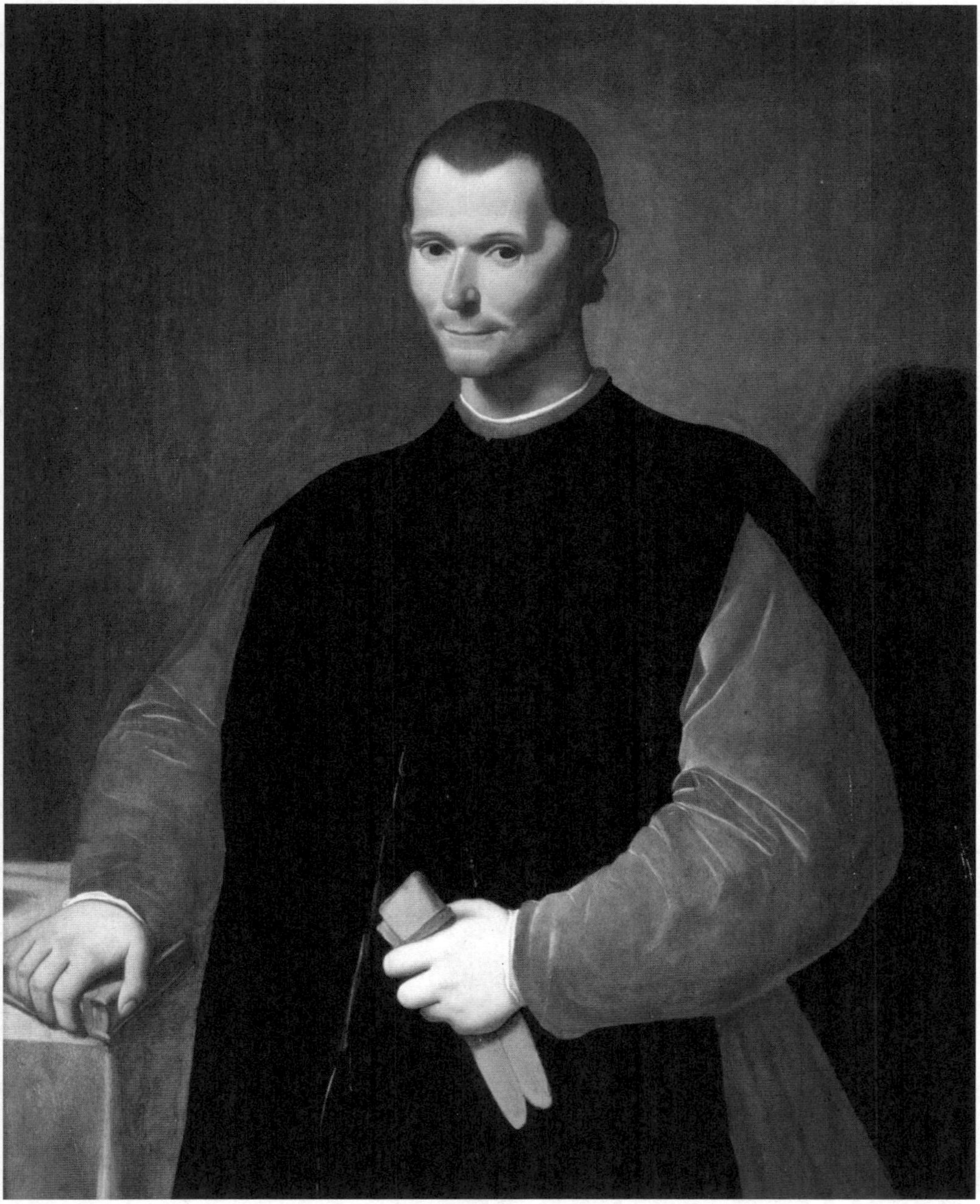

PRÍNCIPE
NICOLAU MAQUIAVEL

SUMÁRIO

Dedicatória: 9
Nicolau Maquiavel – Ao magnífico Lourenço de Médici

I. Quantas espécies de principados existem e como podem ser adquiridos — 11

II. Sobre principados hereditários — 13

III. Sobre principados mistos — 15

IV. Por que o reino de Dario, conquistado por Alexandre, não se rebelou contra os sucessores dele após sua morte — 27

V. Sobre como governar cidades ou principados que viviam sob leis próprias antes de serem anexados — 31

VI. Sobre novos principados conquistados com armas e habilidades próprias — 33

VII. Sobre principados novos conquistados com armas dos outros ou com sorte — 39

VIII. Sobre aqueles que conquistaram um principado através da perversidade — 49

IX. Sobre um principado civil — 55

X. Sobre como se devem medir as forças de todos os principados — 61

XI. Sobre principados eclesiásticos — 65

XII. Quantas espécies de milícias existem e sobre soldados mercenários — 69

XIII. Sobre tropas auxiliares, mistas e próprias — 75

XIV. Sobre o que compete a um príncipe a respeito da arte da guerra — 81

XV. Sobre o que leva os homens, sobretudo os príncipes, a ser elogiados ou condenados — 85

XVI. Sobre liberalidade e parcimônia — 87

XVII. Sobre crueldade, clemência e se é melhor ser amado ou temido — 91

XVIII. Sobre como os príncipes devem manter sua palavra — 95

XIX. Sobre a necessidade de evitar ser desprezado ou odiado — 99

XX. Serão vantajosas ou prejudiciais as fortalezas e muitas outras coisas a que os príncipes recorrem? — 111

XXI. Como um príncipe deve se portar para ganhar fama — 119

XXII. Sobre os secretários dos príncipes — 125

XXIII. Como bajuladores devem ser evitados — 127

XXIV. Por que os príncipes da Itália perderam seus estados — 131

XXV. Sobre as influências da sorte na vida e como lidar com ela — 133

XXVI. Uma exortação para libertar a Itália das mãos dos bárbaros. — 139

DEDICATÓRIA: NICOLAU MAQUIAVEL — AO MAGNÍFICO LOURENÇO DE MÉDICI

Aqueles que desejam conquistar as graças de um príncipe costumam apresentar-se diante dele com objetos que consideram os mais preciosos ou que pensam poder ser de seu máximo agrado, de onde se verem amiúde cavalos, armas, tecidos de ouro, pedras preciosas e outros ornamentos semelhantes oferecidos ao príncipe como dignos de sua grandeza.

Desejando eu apresentar-me a Vossa Magnificência com algum testemunho de minha devoção, não encontrei entre meus bens algo que me seja mais caro ou que eu mais valorize do que o conhecimento dos atos dos grandes homens, que adquiri por força de longa experiência nos negócios modernos e de contínuo estudo da antiguidade; os quais, tendo eu demoradamente perscrutado e examinado com grande diligência, agora envio, reduzidos a um pequeno volume, a Vossa Magnificência.

Embora considere este trabalho indigno do favor de Vossa Magnificência, confio grandemente que em sua bondade o aceite, considerando que não lhe posso fazer maior presente do que oferecer a oportunidade de compreender, no tempo mais curto possível, tudo o que aprendi em tantos anos e com tantos incômodos e perigos; trabalho este que não enfeitei com palavras infladas ou pomposas, não recheei com figuras de retórica, ornamentos externos nem quaisquer adornos, ao contrário de muitos que com isso costumam sobrecarregar e embelezar suas obras; e isto porque não desejo que esta receba honra ou aceitação que não a granjeada pela verdade da matéria e pela seriedade do assunto.

Discordo daqueles que consideram presunção se um homem de baixa e humilde condição ousa discorrer sobre normas de governo e interesses dos príncipes; porque, assim como quem pinta paisagens se coloca na planície para contemplar a natureza das montanhas e das altitudes e, para observar as planuras, se posiciona nos píncaros das montanhas, também para bem conhecer o caráter do povo é preciso ser príncipe e, para bem entender o do príncipe, é preciso ser povo.

Receba, pois, este pequeno presente com o intuito que me inspira ao enviá-lo; se ele for lido e considerado com diligência, Vossa Magnificência descobrirá meu enorme desejo de que lhe advenha a grandeza que prometem a fortuna e suas qualidades. E, se Vossa Magnificência, do ápice de sua grandeza, por vezes voltar os olhos para regiões mais baixas, notará quão imerecidamente suporto um grande e contínuo infortúnio.

QUANTAS ESPÉCIES DE PRINCIPADOS EXISTEM E COMO PODEM SER ADQUIRIDOS

Todos os estados e governos que têm ou tiveram poder sobre os homens já foram e são repúblicas ou principados.

Principados são ou hereditários, onde a família está estabelecida no local há tempo, ou são novos.

Os principados novos são ou inteiramente novos, como Milão foi para Francisco Sforza, ou são membros anexados ao estado hereditário do príncipe que os adquiriu, como foi o reino de Nápoles para o rei da Espanha.

Esses domínios adquiridos estão acostumados a viver ou sob o reino de um príncipe, ou em liberdade, e são adquiridos através das armas do príncipe, ou de outros, ou por sorte ou por habilidade.

II SOBRE PRINCIPADOS HEREDITÁRIOS

Deixarei de fora todas as discussões sobre repúblicas, já que já escrevi longamente sobre elas em outro momento, e falarei apenas sobre os principados. Ao fazer isso, manterei a ordem indicada antes e discutirei como esses principados deveriam ser governados e mantidos.

Eu digo de imediato que existem menos dificuldades em manter estados hereditários e aqueles acostumados há tempo com a família do seu príncipe do que estados novos, pois é suficiente apenas não transgredir os costumes dos seus antecessores e lidar de forma prudente com as situações à medida que elas acontecem, para um príncipe de poderes medianos se manter no seu estado, a menos que ele seja impedido disso por uma força extraordinária e excessiva; e, caso seja impedido, quando qualquer coisa sinistra ocorrer com o usurpador, ele reconquistará o poder.

Nós temos na Itália, por exemplo, o duque de Ferrara, que não poderia ter superado os ataques dos venezianos em 1484, nem os do papa Júlio em 1510, se ele não estivesse estabelecido nos seus domínios há muito tempo. Pois o príncipe hereditário tem menos necessidade ou razão para ofender; e assim ele acaba sendo mais amado;

e, a menos que vícios extraordinários façam com que ele seja odiado, é razoável esperar que os seus súditos sejam naturalmente bem dispostos com ele; e, com o passar do tempo e a duração do seu governo, as memórias e as motivações para mudança são perdidas, pois uma mudança sempre deixa aberto o caminho para outra mudança.

III | SOBRE PRINCIPADOS MISTOS

Mas as dificuldades ocorrem em principados novos. Em primeiro lugar, se o principado não é inteiramente novo, mas é membro de um estado que, se considerarmos a totalidade, pode ser chamado de composto, as mudanças ocorrem principalmente devido a uma dificuldade inerente que existe em todos os novos principados; pois homens mudam de governantes com satisfação, acreditando que assim estarão melhorando, e essa esperança os induz a levantar armas contra o atual governante, no que se enganam, pois depois descobrem com a experiência que foram de mal a pior. Isso é seguido por outra necessidade natural e comum, que sempre faz com que o novo príncipe precise utilizar os seus soldados e outras infinitas injúrias sob a sua recente conquista.

Dessa forma, você tem inimigos em todos aqueles que feriu ao adquirir aquele principado, e você não pode manter os amigos que o ajudaram, pois não conseguirá satisfazê-los da forma que esperam e não poderá usar medidas drásticas contra eles, pois se sente ligado a eles. Pois, mesmo sendo forte nas forças armadas, ao entrar em uma província, você sempre precisa contar com a boa vontade dos nativos.

Foi por essas razões que Luís XII, rei da França, ocupou Milão rapidamente e da mesma forma rapidamente a perdeu; e, para tirá-lo da primeira vez, só foram necessárias as forças de Ludovico; pois aqueles que haviam aberto os portões para ele, ao verem que as suas esperanças por um futuro melhor não se concretizariam, não suportaram ser maltratados pelo novo príncipe. É bem verdade que, após reconquistar as províncias rebeldes uma segunda vez, é mais difícil perdê-las novamente, e depois o príncipe, com menos relutância, usa a oportunidade da rebelião para punir aqueles que lhe faltaram com a lealdade, eliminar suspeitos e se fortalecer nos lugares mais fracos. Assim, para que a França perdesse Milão pela primeira vez, o duque Ludovico* precisou apenas fazer motins nas fronteiras; mas, para que a perdesse pela segunda vez, foi necessário trazer o mundo todo contra ele e que os seus exércitos fossem desbaratados e expulsos da Itália, o que se seguiu das razões descritas acima.

Não obstante, Milão foi tomado da França da primeira e da segunda vez. As razões gerais da primeira foram discutidas; resta agora explicar as da segunda vez, ver que recursos ele tinha e o que qualquer pessoa na situação dele poderia ter feito para manter posse da sua conquista melhor do que o rei da França.

Agora eu digo que estes domínios que, quando conquistados, são adicionados a um estado antigo por aquele que os conquista, são ou do mesmo país e linguagem ou não. Quando são, é mais fácil mantê-los, especialmente

---

* Duque Ludovico era Lodovico Moro, filho de Francisco Sforza.

quando não estão acostumados a se autogovernar; e para mantê-los seguros é suficiente ter destruído a família do príncipe que reinava neles anteriormente; porque os dois povos, conservando as suas velhas condições e tendo costumes parecidos, passarão a viver tranquilamente juntos, como vimos ocorrer com Bretanha, Borgonha, Gasconha e Normandia, que por tanto tempo estiveram ligados à França; e, apesar de haver uma pequena diferença nas línguas, mesmo assim os costumes são parecidos e os povos poderão se entender e se acomodar. Aquele que os anexou, se quiser mantê-los, tem apenas que manter em mente duas medidas: primeiramente, que a família do antigo senhor da terra seja extinta; e, em segundo lugar, que nem as suas leis nem os seus impostos sejam alterados, para que em muito pouco tempo o território conquistado e o principado antigo se tornem um só corpo.

Mas, quando estados são adquiridos em um país com língua, costumes e leis diferentes, dificuldades aparecem, e é necessário sorte e muita energia para mantê-los, e uma das maiores e mais eficientes medidas é o conquistador morar no território conquistado. Isso torna a sua posição mais segura e duradoura, como ocorreu com o Turco na Grécia, que, apesar de todas as outras medidas tomadas para manter a posse do estado, se não tivesse ido habitar lá, não teria conseguido mantê-lo. Porque, se você está no local, pode ver brotar as desordens e assim remediá-las rapidamente; mas, se você não está por perto, até ouvir falar das desordens, elas não terão mais remédio. Além disso, o país não é saqueado pelos seus oficiais; os súditos ficam felizes de poder recorrer ao príncipe com mais facilidade; assim sendo, desde que queiram ser bons, eles têm mais razões para amá-lo ou, caso contrário, para temê-lo. Aquele que desejar atacar o estado de fora deverá ter muito cuidado, já que, enquanto o príncipe residir no estado, ele só poderá ser tomado dele com extrema dificuldade.

A outra medida eficaz é instalar colônias em um ou dois lugares, que poderão agir como lugares-chaves para aquele estado, pois é necessário ou fazer isso ou então manter lá muita cavalaria e soldados. Um príncipe não gasta muito com colônias; com pouco ou nenhum custo ele pode enviá-los e mantê-los lá, e ofende apenas uma minoria dos cidadãos de quem toma terras e casas para cedê-las aos novos habitantes; e aqueles a quem ele ofender, permanecendo pobres e espalhados pelo território, nunca poderão prejudicá-lo; enquanto os outros habitantes, permanecendo inalterados, continuam tranquilos, ao mesmo tempo estão receosos de errar e acontecer com eles o mesmo que aconteceu com aqueles expulsos das suas terras. Concluo dizendo que essas colônias não são onerosas, são mais fiéis, causam menos danos, e aqueles que são prejudicados, como já foi dito, sendo pobres e estando espalhados, nada podem fazer. Sobre isso, tem que ser destacado que homens devem ser ou bem tratados ou destruídos, pois podem se vingar de pequenas feridas, mas não de feridas mais graves; portanto, a ferida que for feita em um homem deve ser tal que você não precise ficar com medo da sua vingança.

Mas, ao manter em colônias homens armados, gasta-se muito mais, tendo que gastar com as forças militares todo o dinheiro arrecadado naquele estado, fazendo com que a aquisição se torne um prejuízo, e muitas pessoas são prejudicadas, pois, todo o estado sofre com as constantes mudanças de alojamento do exército, todos se tornam hostis e se tornam inimigos, pois, mesmo perdendo a batalha, continuam capazes de ferir. Por todas essas razões, portanto, tais guardas são tão inúteis quanto uma colônia pode ser útil.

Novamente, o príncipe que tiver a posse de um país com as diferenças citadas acima deverá se tornar o chefe e defensor dos seus vizinhos poderosos e enfraquecer aqueles que são os mais poderosos dentre eles, cuidando para que nenhum estrangeiro tão poderoso quanto ele apareça sem querer por lá; pois, como já vimos, sempre acontecerá de um desses ser chamado por aqueles que estão infelizes, ou por ambição excessiva ou por medo. Os romanos foram levados à Grécia através dos etólios; e em todos os outros países onde conseguiam colocar os pés eles eram trazidos pelos habitantes. E o que normalmente acontece é que, assim que um estrangeiro poderoso entra em um país, todos os estados são atraídos para ele, movidos pelo ódio que sentem contra o atual governo. Então, no que diz respeito a esses estados, não é necessário muito trabalho para obter seu apoio, pois logo todos eles, voluntariamente, se unem a quem conquistou a terra. Ele precisa apenas ter o cuidado de não permitir que adquiram muito poder e muita autoridade, e então, com as suas forças e a boa vontade do povo, pode abater aqueles que ainda estão fortes, para se tornar senhor absoluto daquela província. E aquele que não fizer isso satisfatoriamente, logo perderá a sua conquista e, enquanto puder conservá-la, terá infinitos aborrecimentos e dificuldades.

Os romanos, nos países que anexaram, observaram de perto essas medidas; fundaram colônias e mantiveram relações amigáveis com os menos poderosos, sem aumentar a sua força; eles abateram os mais fortes e não permitiram que nenhum poder estrangeiro forte ganhasse autoridade. A Grécia é um bom exemplo. Os **aqueus e os etólios** tornaram-se amigos dos romanos, o reino da Macedônia foi abatido, Antíoco foi expulso; porém, os méritos dos aqueus e dos etólios nunca lhes permitiu aumentar o seu poder, nem a persuasão de Filipe induziu os romanos a serem seus amigos sem antes abatê-los, nem a influência de Antíoco conseguiu fazer com que eles o autorizassem a manter seu domínio naquela província. Os romanos fizeram, nesse caso, o que todos os príncipes prudentes devem fazer: notaram não apenas os problemas correntes, mas também os problemas futuros, pelos quais deviam se preparar com toda a sua energia, pois, quando previstos a tempo, são facilmente remediados; mas, se você esperar até que eles evoluam, não poderão mais ser curados, pois o mal já se tornou incurável. Acontece aqui como os médicos dizem acontecer com a tuberculose: no princípio, o mal é fácil de curar, mas de difícil diagnóstico, mas ao longo do tempo, sem ser diagnosticado ou curado, ele se torna fácil de diagnosticar, mas difícil de curar. Assim ocorre nos assuntos do estado, pois, quando os males que os atingem são previstos (o que só acontece se o encarregado é um homem sábio), podem ser rapidamente revistos, mas quando, por não serem previstos, conseguirem vê-los, não há mais solução. Por isso, os romanos, prevendo problemas, sempre lidavam com eles imediatamente, e, até para evitar a guerra, não deixavam que ocorressem, pois sabiam que a guerra não pode ser evitada, mas somente adiada para a vantagem dos outros. Por essa razão, queriam lutar contra Filipe e Antíoco na Grécia, para que não tivessem que lutar contra eles na Itália. Ambos podiam ter evitado as duas batalhas, mas não queriam fazer isso; nem em momento algum lhes agradou aquilo que os sábios de nosso tempo estão sempre falando: vamos gozar as coisas boas do momento, mas apenas aquilo que resulta do nosso próprio valor e da nossa prudência, pois o tempo lança à frente todas as coisas e pode transformar o bem em mal e o mal em bem.

Mas voltemos à França e examinemos se ela fez alguma das coisas mencionadas. Olhando a conduta de Luís [XII] (e não de Carlos [VIII]), pois a conduta dele é mais fácil de ser observada, já que manteve o domínio da Itália por mais tempo, você verá que ele fez o contrário do que se deve fazer para conservar um estado com elementos tão diferentes.

O rei Luís foi conduzido à Itália devido à ambição dos venezianos, que desejavam obter metade do estado da Lombardia através da intervenção dele. Eu não vou criticar as medidas tomadas pelo rei, pois, querendo manter um pé na Itália e sem ter nenhum amigo lá – pelo contrário, vendo que todas as portas se fechavam para ele devido à conduta de Carlos –, foi obrigado a aceitar as amizades daqueles que estavam abertos a ele, e teria conseguido o que queria se não tivesse cometido erros em outras áreas. O rei, porém, tendo conquistado a Lombardia, reconquistou de imediato a autoridade que Carlos havia perdido: Gênova cedeu; os florentinos tornaram-se seus amigos; o marquês de Mantua, o duque de Ferrara, o Bentivoglio, a senhora de Forli, os senhores de Faenza, de Pesaro, de Rimini, de Camerino, de Piombino, os luqueses, os pisanos, os sieneses – todos tentaram se tornar seus amigos. Então os venezianos puderam perceber a temeridade da resolução que haviam tomado: para poderem conquistar dois vilarejos na Lombardia, haviam transformado o rei em senhor de dois terços da Itália.

Vamos considerar agora com que pouca dificuldade o rei poderia ter mantido a sua posição na Itália se tivesse observado as regras mencionadas anteriormente e mantido todos os seus amigos seguros e protegidos. Pois, apesar de serem numerosos, eles eram fracos e tímidos, alguns com medo da Igreja, outros com medo dos venezianos, e assim todos teriam que sempre ficar do seu lado e, através deles, ele poderia ter facilmente obtido segurança contra aqueles que permaneciam poderosos.

Mas ele, assim que chegou a Milão, fez o contrário, auxiliando o papa Alexandre a ocupar a Romanha. Nunca sequer passou pela sua cabeça que com isso ele estava se enfraquecendo, afastando os amigos e aqueles que lhe tinham lançado os braços, enquanto engrandecia a Igreja, acrescentando ao poder espiritual tamanha força temporal. E, tendo cometido esse primeiro erro, foi obrigado a segui-lo, tanto que, para pôr fim à ambição de Alexandre e evitar que este se tornasse senhor da Toscana, foi-lhe necessário ir pessoalmente à Itália.

E, se já não fosse o bastante ter engrandecido a Igreja e perdido os seus amigos, ele, desejando ter o reino de Nápoles, dividiu-o com o rei da Espanha e, sendo o primeiro árbitro da Itália, aí colocou um companheiro para que os ambiciosos daquele país e os descontentes tivessem onde se abrigar; e, em vez de deixar naquele reino um soberano sujeito a ele, tirou-o para, em seu lugar, colocar outro que pudesse expulsar o próprio Luís dali.

O desejo de conquistar é muito natural e comum, e homens sempre devem tentar conquistar terras quando podem, e por isso serão louvados, e não censurados. Mas, quando a conquista é extremamente difícil, porém desejam obtê-la a qualquer custo, isso é tolice e merece ser censurado. Portanto, se a França pudesse ter atacado Nápoles com as suas próprias forças, ela deveria ter feito isso; se ela não pudesse fazê-lo, então não deveria tê-la dividido. E, se a divisão que ela fez com os venezianos na Lombardia fosse justificada, pelo fato de que assim conseguiram firmar o pé na Itália, essa outra divisão merece censura, pois não podia ser justificada por essa necessidade.

Luís tinha, portanto, cometido esses cinco erros: eliminou os menos fortes, engrandeceu um dos grandes poderes na Itália, trouxe um poder estrangeiro, não foi habitar no país e não instalou colônias. Erros que, se ele tivesse vivido, não teriam sido grandes o suficiente para feri-lo caso não tivesse cometido um sexto erro, ao tirar os seus domínios dos venezianos. Pois, se não tivesse tornado grande a Igreja, nem introduzido a Espanha na

Itália, teria sido bem razoável e necessário enfraquecê-los, mas, como tomou as outras medidas anteriores, nunca deveria ter consentido com a ruína deles, pois eles, sendo poderosos, teriam sempre mantido outros longe da Lombardia. Isso porque os venezianos jamais iriam consentir em qualquer manobra contra esse estado, a menos que se tornassem os senhores lá, da mesma forma que outros não iriam querer tomar a Lombardia da França para dá-la aos venezianos, e ninguém tinha coragem para ir contra ambos.

E, se qualquer pessoa falar, "o rei Luís cedeu a Romanha a Alexandre, e o reino à Espanha, para evitar a guerra", eu respondo com as razões citadas anteriormente: que uma crise nunca deve ser utilizada para evitar a guerra, pois a guerra nunca é evitada, apenas adiada para sua própria desvantagem. E, se alguém alegar que a promessa que o rei havia feito ao papa, de que ele o ajudaria na empreitada, em troca da dissolução do seu casamento e do chapéu cardinalício concedido a Ruão,* a isso respondo que escreverei mais tarde sobre a fé dos príncipes e como ela deve ser mantida.

O rei Luís, assim, perdeu a Lombardia por não ter seguido nenhum dos princípios observados por aqueles que conquistaram países e os mantiveram. Não há aqui nenhum milagre, mas simplesmente coisas razoáveis e naturais. E sobre isso falei em Nantes com Ruão, quando Valentino, chamado popularmente na Itália de César

---

* O arcebispo de Ruão, George D'Amboise, eleito cardeal por Alexandre VI.

Bórgia, filho do papa Alexandre, ocupava a Romanha. Quando o cardeal de Ruão observou para mim que os italianos não entendiam de guerras, respondi-lhe que os franceses não entendiam de estado, querendo dizer que, se entendessem, não teriam deixado a Igreja se tornar tão grande. E de fato já foi visto que a grandeza da Igreja e da Espanha na Itália foi causada pela França, e a sua ruína pode ser atribuída a esses dois estados. Disso pode-se extrair uma regra geral que nunca ou raramente falha: aquele que é a causa do poderio de alguém se arruína, pois tal poder foi alcançado ou através da astúcia ou da força e ambas são suspeitas para aquele que se tornou poderoso.

IV — POR QUE O REINO DE DARIO, CONQUISTADO POR ALEXANDRE, NÃO SE REBELOU CONTRA OS SUCESSORES DELE APÓS SUA MORTE

Consideradas as dificuldades que existem para conservar a conquista de um novo estado, algumas pessoas podem se perguntar como, vendo que Alexandre, o Grande se tornou o senhor da Ásia em poucos anos e faleceu quando ainda não estava bem estabelecido nesse local (onde seria razoável imaginar que todo o império teria se rebelado), mesmo assim os seus sucessores se mantiveram no poder e não enfrentaram nenhuma outra dificuldade além das que surgiram entre eles com as suas próprias ambições.

Eu respondo que os principados dos quais temos registros são governados de duas formas: ou por um príncipe com um grupo de servos que o ajudam a governar o reino como ministros escolhidos por ele; ou por um príncipe e barões, que mantêm esta posição com o passar do tempo devido ao seu sangue, e não pela graça do príncipe. Esses barões têm estados e seus próprios súditos, que os reconhecem como senhores e dedicam a eles natural afeição. Os estados que são governados por um príncipe e servos têm o príncipe com maior autoridade, porque em toda a sua província não existe alguém reconhecido como superior a ele, e, se os súditos obedecem a alguma outra pessoa, fazem-no em razão de sua posição de ministro e oficial, e não lhe dedicam nenhuma afeição em especial.

Os exemplos desses dois tipos de governo são o Turco e o rei da França. Toda a monarquia turca é governada por um único senhor, os outros são os seus servos; e, dividindo o seu reino em sanjaks, ele envia diversos administradores e os troca e muda quando quer. Mas o rei da França está em meio a vários senhores antigos, reconhecidos pelos seus súditos e amados por eles; eles têm as suas próprias prerrogativas, e o rei não pode privá-los delas sem se colocar em perigo. Portanto, quem estiver pensando nesses dois estados reconhecerá grandes dificuldades em conquistar o estado turco, mas, uma vez conquistado, terá facilidade em mantê-lo. As razões das dificuldades em conquistar o reino turco são que o usurpador não pode ser chamado pelos príncipes daquele reino, nem pode esperar ser ajudado por aqueles que cercam o senhor. Isso decorre das razões especificadas acima, pois os seus ministros, sendo todos escravos, só podem ser corrompidos com grande dificuldade, e pode-se esperar muito pouco deles uma vez corrompidos, já que não podem influenciar as outras pessoas à sua volta, pelas razões já especificadas. Portanto, aquele que atacar o turco tem que manter em mente que o encontrará unido, e ele terá que depender mais da sua própria força do que da revolta dos outros. Mas, uma vez que o turco já tiver sido conquistado e desbaratado em batalha, de modo que não possa refazer os seus exércitos, não há nada a temer fora a família do príncipe, e esta, sendo exterminada, não restará mais ninguém a temer, já que os outros não têm nenhum prestígio junto ao povo, e como o conquistador não dependeu deles para a sua conquista, não precisará temê-los após a vitória.

O contrário ocorre nos reinos que são governados como o da França, porque se pode facilmente invadi-los, obtendo o apoio de algum barão do reino, pois é sempre possível encontrar pessoas descontentes e que desejam uma mudança. Estas pessoas, pelas razões referidas, podem abrir o acesso àquele estado e facilitar a vitória; mas, se você quiser manter a conquista, encontrará infinitas dificuldades, seja com aqueles que ajudaram, seja com aqueles que você derrotou. Não é o suficiente acabar com a família do príncipe, pois os senhores que permanecem se tornam chefes das novas revoluções contra você, e como você não pode nem contentá-los nem exterminá-los, perde aquele estado assim que aparece a oportunidade.

Agora, se você examinar a natureza do governo de Dario, verá que ele era bem parecido com o reino do Turco e portanto foi apenas necessário Alexandre derrotá-lo no campo de batalha, e então ganhar o estado dele. Após essa vitória, estando Dario morto, o estado permaneceu seguro sob o domínio de Alexandre, pelas razões citadas acima. E se os seus sucessores tivessem permanecido unidos, teriam gozado do estado tranquilamente, pois não havia tumultos no reino além daqueles provocados por eles mesmos.

Mas é impossível manter a posse de estados como a França com tanta tranquilidade. Por isso, surgiram rebeliões tão frequentes contra os romanos na Espanha,

França e Grécia, devido aos vários principados presentes nesses estados, dos quais, enquanto a memória deles permanecesse, os romanos sempre teriam uma posse insegura; mas, com o poder e a continuidade do império, a memória deles desapareceu e os romanos se tornaram os dominadores seguros. E quando, combatendo mais tarde em lutas internas, cada um pôde se ater à sua parte do país, de acordo com a autoridade que havia adquirido nela; e essas províncias, por não mais existir o sangue de seus antigos senhores, não reconheciam senão a soberania dos romanos.

Consideradas todas essas coisas, ninguém se impressionará com a facilidade que Alexandre encontrou para manter o Império da Ásia, ou com as dificuldades que outros tiveram para manter uma conquista, como Pirro e muitos outros. Isso não ocorreu por causa de pouca ou muita habilidade do conquistador, mas sim devido ao desejo de uniformidade no estado conquistado.

V
SOBRE COMO GOVERNAR CIDADES OU PRINCIPADOS QUE VIVIAM SOB LEIS PRÓPRIAS ANTES DE SEREM ANEXADOS

Quando os estados que forem adquiridos estiverem acostumados a viver sob leis próprias e em liberdade, existem três caminhos que podem ser trilhados por aqueles que desejam mantê-los: o primeiro é arruiná-los, o segundo é habitar no estado e o terceiro é permitir que continuem vivendo sob suas próprias leis, arrecadando um tributo e criando dentro dele uma oligarquia que se manterá fiel a você. Como esse governo, sendo criado pelo príncipe, sabe que não permanecerá sem a amizade e os interesses do príncipe, faz o máximo para apoiá-lo; portanto, aquele que quiser manter uma cidade acostumada à liberdade conseguirá isso com mais facilidade por intermédio dos seus próprios cidadãos.

Como exemplo, temos os espartanos e os romanos. Os espartanos conservaram Atenas e Tebas, estabelecendo lá uma oligarquia, porém, mesmo assim as perderam. Os romanos, para manter Cápua, Cartago e Numância, as destruíram, e não as perderam. Eles queriam manter a Grécia como os espartanos fizeram, tornando-a livre e deixando-a com as suas próprias leis, e não conseguiram. Então, para mantê-la, foram obrigados a desmantelar muitas cidades daquela província, pois a verdade é que não há como mantê-las sem arruiná-las. E aquele que se tornar mestre de uma cidade acostumada com a liberdade e não destruí-la, poderá se preparar para ser destruído por ela, pois em nome da sua rebelião utilizará a liberdade e os antigos privilégios, coisas que nem o tempo nem benefícios apagarão. E o que quer que você faça ou providencie, eles nunca esquecerão a liberdade e os privilégios que tinham, a menos que sejam desunidos ou dispersos, mas a cada oportunidade irão se unir em nome dessas causas, como fez Pisa cem anos após estar submetida aos florentinos.

Mas, quando cidades ou países estão acostumados a viver sob um príncipe e sua família é exterminada, eles, estando, por um lado, acostumados a obedecer e, por outro lado, não tendo mais o príncipe antigo no poder, não conseguem chegar a um acordo para a escolha de outro líder e não sabem como se governar. Por essa razão, são muito lentos em tomar as armas, e um príncipe pode vencê-los e se apoderar da cidade com mais facilidade. Mas em repúblicas há mais vitalidade, mais ódio e mais desejo de vingança, o que nunca permitirá que eles se esqueçam da antiga liberdade; então, o caminho mais seguro é destruí-los ou habitá-los pessoalmente.

VI SOBRE NOVOS PRINCIPADOS CONQUISTADOS COM ARMAS E HABILIDADES PRÓPRIAS

Não fique surpreso se, ao falar sobre principados completamente novos, como irei fazer, eu usar os exemplos mais grandiosos de príncipes e estados; porque os homens, andando quase sempre nos caminhos já trilhados por outros, e seguindo através da imitação as suas ações, ainda são quase completamente incapazes de seguir fielmente as trilhas alheias ou alcançar o poder daqueles que imitam. Um homem sábio deve sempre seguir os caminhos trilhados por grandes homens, e imitar aqueles que têm sido supremos, para que, caso a habilidade não se iguale à deles, pelo menos você poderá chegar perto. Deixe que ajam como os arqueiros espertos, querendo atingir um ponto que parece estar muito distante, e, sabendo os limites dos seus arcos, miram muito além do ponto que querem atingir, não para alcançar com sua flecha tanta altura, mas para poder, com a ajuda de uma mira tão alta, atingir seu alvo.

Eu digo, portanto, que em principados completamente novos, onde há um príncipe novo, encontra-se mais ou menos dificuldade para mantê-lo, de acordo com a habilidade de quem os conquistou. Agora, como se elevar de particular a príncipe pressupõe ou habilidade ou sorte, fica claro que um ou outro desses fatores diminuiria as dificuldades. Mesmo assim, aquele que dependeu menos da sorte será estabelecido com mais força. E, ainda, os problemas são facilitados quando o príncipe, não tendo nenhum outro estado, é obrigado a habitá-lo pessoalmente.

Para falar daqueles que, através de habilidade própria e não pela sorte, se tornaram príncipes, devo dizer que Moisés, Ciro, Rômulo, Teseu, dentre outros, são excelentes exemplos. E, apesar de não devermos discutir sobre Moisés, tendo sido ele apenas um executor da vontade de Deus, ele deve ser admirado, mesmo se for apenas pela graça que o tornou digno de conversar com Deus. Mas consideremos Ciro e os outros, que conquistaram ou fundaram reinos, e veremos que todos são admiráveis; e, se as suas ações e condutas forem examinadas, elas não ficarão aquém das de Moisés, que teve tão grande preceptor. E, ao examinar as suas ações e vidas, nós não conseguimos ver que eles deviam algo à sorte além da oportunidade, que lhes deu o material necessário para moldar as coisas da forma que melhor lhes serviria. Sem essa oportunidade, o poder das suas mentes teria acabado e, sem este poder, a oportunidade teria sido vã.

Era necessário, então, que Moisés encontrasse o povo de Israel escravizado e oprimido no Egito pelos egípcios para que se dispusesse a segui-lo e se libertar. Era necessário que Rômulo não permanecesse em Alba e que fosse abandonado no seu nascimento para que pudesse se tornar rei de Roma e fundador daquela pátria. Era necessário que Ciro encontrasse os persas infelizes com o governo de Medes e estivessem moles e efeminados pela prolongada paz. Teseu não poderia ter demonstrado sua habilidade se não tivesse encontrado os atenienses dispersos. Essas oportunidades, portanto, tornaram esses homens afortunados, e a alta capacidade de cada um permitiu que reconhecessem a oportunidade para enobrecer e tornar famosa a sua pátria.

Aqueles que por suas virtudes se tornam príncipes, como esses homens, conquistam um principado com dificuldade, mas conservam-no com facilidade. As dificuldades que eles têm para conquistá-lo surgem em parte de regras e métodos novos que são obrigados a introduzir para estabelecer o seu governo e assegurá-lo. E deve ser lembrado que não há nada mais difícil de controlar, mais perigoso de conduzir, ou mais incerto de alcançar sucesso do que liderar a introdução de uma nova ordem. Pois o inovador tem como seus inimigos todos aqueles que se davam bem sob as antigas condições, e defensores mornos naqueles que talvez se deem bem sob as novas regras. Esta fraqueza surge parcialmente do medo dos oponentes, que têm as leis do seu lado, e parcialmente da incredulidade dos homens, que não acreditam facilmente em coisas novas até que tenham bastante experiência com elas. E então acontece que a qualquer momento em que aqueles que são hostis tiverem a oportunidade de atacar, eles o farão como os sectários, enquanto os outros defenderão com fraqueza, de forma que ao lado deles o príncipe corre perigo.

É necessário, portanto, se quisermos discutir mais esse assunto, perguntar se esses inovadores podem usar as suas próprias forças ou se dependem de outros, isto é, se para levar adiante sua obra precisam fazer preces ou podem utilizar a força. No primeiro caso, sempre acabam mal e não realizam nada; mas, quando dependem de si mesmos e usam a força, então raramente estão em perigo. E é por isso, portanto, que todos os profetas armados venceram e os desarmados foram destruídos. Além das razões já descritas, a natureza dos povos varia e, enquanto é fácil persuadi-los de uma coisa, é difícil firmá-los nessa persuasão. E, portanto, é assim necessário tomar tais medidas para que, quando não acreditarem mais, se possa fazê-los crer pela força.

Se Moisés, Ciro, Teseu e Rômulo estivessem desarmados, eles não poderiam ter implementado as suas constituições por tanto tempo – como aconteceu nos nossos tempos com o Frei Jerônimo Savonarola, que fracassou nas suas reformas assim que a multidão passou a não acreditar mais nele e ele não tinha mais como manter firmes aqueles que acreditavam ou fazer com que os descrentes acreditassem. Por isso, eles têm tantas dificuldades em continuar com seu propósito, pois todos os perigos estão no seu caminho, porém com habilidade eles irão superá-los. Mas quando eles são superados, e aqueles que os invejaram, exterminados, eles começarão a ser respeitados e continuarão depois poderosos, seguros, honrados e felizes.

A esses grandes exemplos quero acrescentar outro, menos grandioso, mas que mesmo assim tem semelhanças com os outros e espero que seja o suficiente para ilustrar todo um grupo: é Hierão de Siracusa. Este começou como homem comum e tornou-se príncipe de Siracusa;

ele também não devia nada à sorte, mas à oportunidade, pois o povo de Siracusa, sendo oprimido, escolheu-o como seu capitão, de onde ele foi recompensado, sendo feito príncipe. Ele era tão habilidoso que, mesmo quando cidadão comum, quem escreveu sobre ele diz que não queria nada além de um reino para poder ser rei. Esse homem aboliu a velha milícia, organizou a nova, abandonou as antigas alianças, formou novas e, como tinha os seus próprios soldados e aliados, sobre tais alicerces pôde construir qualquer edifício; e assim, enquanto ele teve muito trabalho para conquistar, teve pouco trabalho para manter sua conquista.

VII | SOBRE PRINCIPADOS NOVOS CONQUISTADOS COM ARMAS DOS OUTROS OU COM SORTE

Aqueles que somente se tornam príncipes após serem cidadãos comuns devido à sorte têm pouco trabalho para conseguir isso, mas apenas com muito esforço assim se mantêm. Eles não encontram nenhuma dificuldade pelo caminho, porque sobem voando, mas encontram muitas dificuldades quando chegam ao topo. É assim com aqueles aos quais é concedido um estado ou por dinheiro ou pela graça do concedente, como aconteceu com muitos na Grécia, nas cidades da Jônia e do Helesponto, onde foram feitos príncipes por Dario, a fim de que conservassem as cidades para sua segurança e sua glória, assim como aconteceu, ainda, com aqueles imperadores que, através da corrupção dos soldados, passaram de simples cidadãos e alcançaram o domínio do Império.

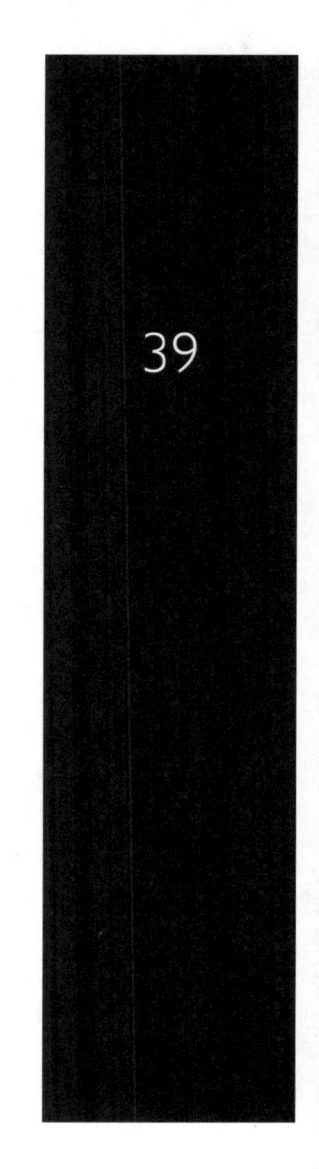

Esses estão lá simplesmente devido à fortuna e à vontade de quem lhes concedeu esse posto – duas coisas muito inconstantes e instáveis. Eles também não têm a sabedoria necessária para manter a posição, pois, a menos que sejam homens de grande valor e habilidade, não é razoável esperar que deveriam saber como comandar, tendo sempre vivido fora do governo; além disso, eles não podem manter o poder, pois não têm forças que possam manter amigáveis e fiéis.

Estados que surgem inesperadamente, então, como todas as outras coisas na natureza que nascem e crescem rapidamente, não podem ter os seus alicerces e os seus relacionamentos com outros estados fundamentados de tal forma que a primeira tempestade não os extinga. A menos que, como foi dito, aqueles que inesperadamente se tornam príncipes sejam homens de tanta habilidade que saibam da necessidade de estar preparados para manter de imediato o que a sorte lhes jogou nas mãos, e que aqueles alicerces que outros estabeleceram ANTES de eles se tornarem príncipes, eles precisam estabelecer DEPOIS.

No que diz respeito aos dois modos citados de se tornar príncipe, por habilidade ou por sorte, quero dar dois exemplos que aconteceram no nosso tempo, e estes são Francisco Sforza e César Bórgia. Francisco, pelos meios certos e com grande habilidade, de cidadão tornou-se duque de Milão, e aquilo que ele conquistou com muitas angústias, manteve com pouco trabalho. Por outro lado, César Bórgia, chamado pelo povo de duque Valentino, adquiriu seu status com a ascensão do pai e com o seu declínio o perdeu, isso, mesmo tendo tomado todas as medidas necessárias e feito tudo aquilo que deveria ser feito por um homem sábio e capaz para estabelecer raízes fortes naqueles estados que as armas e a fortuna de outra pessoa lhe tinham concedido.

Porque, como se disse acima, quem não lança os alicerces primeiro, com muita habilidade, poderá estabelecê-los mais tarde, mas, ao serem estabelecidos, trarão aborrecimentos ao arquiteto e perigo ao edifício. Se, portanto, considerarmos todos os passos tomados pelo duque, veremos que ele estabeleceu sólidos alicerces para o seu futuro poderio, os quais não julgo supérfluo descrever, pois não sei que melhores preceitos poderiam ser dados a um novo príncipe do que exemplos das suas ações; e, se as suas disposições não obtiveram êxito, não foi sua culpa, mas simplesmente extraordinária e extremada má sorte.

Alexandre VI, ao querer tornar grande o seu filho, o duque, teve muitas dificuldades imediatas e futuras. Primeiramente, ele não viu como torná-lo senhor de nenhum estado que não fosse um estado da Igreja; e, se ele estivesse disposto a roubar a Igreja, sabia que o duque de Milão e os venezianos não concordariam, porque Faenza e Rimini já estavam sob a proteção dos venezianos. Além disso, via as armas da Itália, em especial aquelas que poderiam ajudá-lo, nas mãos daqueles que deviam temer a grandeza do papa, como os Orsini e Colonna e seus seguidores. Era então necessário perturbar aquela organização dos estados e desarticular os poderosos para seguramente se tornar mestre de parte desses estados. Isso foi fácil de fazer, pois encontrou os venezianos movidos por outras causas, dispostos a trazer os franceses de volta à Itália. Ele não apenas não se opôs a tal ação, como também a tornou mais fácil com a dissolução do primeiro matrimônio do rei Luís. O rei, portanto, chegou à Itália com a ajuda dos venezianos e o consentimento de Alexandre. Mal havia chegado a Milão, e o papa obteve dele tropas para a conquista da Romanha, que se rendeu devido à reputação do rei. O duque, portanto, tendo ocupado a Romanha e derrotado Colonna, queria manter a conquista e avançar mais, mas foi impedido por duas coisas. Uma, as suas tropas, que não lhe pareciam fiéis; a outra, a boa vontade da França, isto é, o duque temia que as tropas dos Orsini, das quais se valera, não seriam fiéis a ele, não só impedindo-o de conquistar mais, como também tomando-lhe o que havia conquistado, e que o rei também poderia fazer o mesmo. Dos Orsini, teve um aviso quando, depois da conquista de Faenza, ao atacar Bolonha, viu-os ir sem vontade ao ataque. Quanto ao rei, ficou sabendo da sua disposição quando ele, tomado o ducado de Urbino, atacou a Toscana, e o rei o fez desistir dessa campanha. E, assim, o duque decidiu não depender mais das armas ou da sorte dos outros.

Primeiramente, enfraqueceu as facções dos Orsini e dos Colonna em Roma, atraindo para si todos os adeptos deles que fossem cavalheiros, fazendo-os seus cavalheiros, pagando-lhes bem, e, de acordo com as suas linhagens, honrando-os com ofício ou comando, de tal forma que, em poucos meses, toda a afeição que mantinham pelas facções foi destruída e voltou-se completamente para o duque. Depois disso, ele esperou uma oportunidade para esmagar os Orsini, tendo dispersado os adeptos da casa de Colonna. Isso logo surgiu e ele aproveitou bem a situação; pois os Orsini, percebendo que o crescimento do duque e da Igreja seria sua ruína, organizaram uma reunião em Magione, no Perugino. Dessa reunião nasceram a rebelião de Urbino e os tumultos da Romanha, com infinitos perigos para o duque, o qual a todos superou com o auxílio dos franceses. Tendo readquirido a sua autoridade e por não querer deixá-la em risco, confiando nos franceses ou em outras tropas estrangeiras, para não as fortalecer, escondeu suas intenções e por intermédio do senhor Paulo (Orsini) – a quem o duque não falhou em assegurar atenções de todos os tipos, dando-lhe dinheiro, aparatos e cavalos –, os Orsini foram reconciliados, de tal forma que a simplicidade deles levou-os a Sinigalia. Tendo eliminado os líderes e transformado os partidários deles em seus amigos, o duque havia estabelecido uma base boa o suficiente para o seu poderio, possuindo toda a Romanha e o ducado de Urbino; e com o povo agora começando a apreciar a sua prosperidade, ele ganhou toda aquela população. E como este fato vale comentar e deve ser imitado por outros, eu não estou disposto a não incluí-lo.

Quando o duque ocupou a Romanha, encontrou-a sob o governo de senhores impotentes, os quais roubavam os seus súditos, em vez de governá-los, dando-lhes mais motivos para a desunião do que para a união, fazendo com que o país fosse repleto de roubos, brigas e de muitas outras formas de violência. E então, querendo trazer de volta a paz e a obediência à autoridade, ele achou necessário instituir um bom governante. Por isso, promoveu o senhor Ramiro de Orco,[3] homem cruel e solícito, a quem ele deu os mais amplos poderes. Este homem em pouco tempo restaurou a paz e a união. Mais tarde, o duque percebeu que não era sábio dar tanta autoridade a um só homem, pois ele não tinha dúvidas de que esse homem poderia vir a odiá-lo. Ele instalou, então, um juízo civil no país, com um excelente presidente, e cada cidade tinha o seu advogado. E como sabia que o rigor do passado havia causado ódio no povo, para que as pessoas não achassem que a culpa era dele e poder conquistá-las completamente, ele decidiu mostrar que, se alguma crueldade havia ocorrido, não nascera dele, mas sim da cruel natureza do ministro. Sob essa desculpa, certa manhã ele pegou Ramiro e o executou e deixou na praça pública de Casena, com o bloco e a faca ensanguentada ao seu lado. A barbaridade desse espetáculo fez com que a população ficasse ao mesmo tempo satisfeita e amedrontada.

Mas vamos voltar para o começo. Eu digo que o duque, vendo que estava poderoso o suficiente e parcialmente seguro de perigos imediatos, já que estava bem armado, e tendo em grande parte destruído aquelas forças ao seu redor que poderiam feri-lo caso quisesse continuar com sua conquista, agora tinha que se voltar para a França, pois sabia que o rei, que havia percebido tarde o seu erro, não o apoiaria. E começou, então, a procurar novas alianças e temporizar com a França na incursão que os franceses faziam rumo ao reino de Nápoles contra os espanhóis que assediavam Gaeta. A sua intenção era se garantir contra eles, o que teria conseguido se Alexandre não tivesse morrido.

Essa foi a sua política quanto à situação atual. Mas, quanto ao futuro, ele tinha que temer, em primeiro lugar, que o novo sucessor à Igreja não seria amigável a ele e poderia tentar tirar dele aquilo que Alexandre lhe havia dado, e então decidiu agir de quatro formas. Primeiramente, exterminando as famílias dos senhores que havia espoliado, para assim tirar esse pretexto do papa. Em segundo lugar, conquistando todos os cavalheiros de Roma, para poder controlar o papa com a ajuda deles, como já expliquei. Em terceiro lugar, trazer o Colégio para próximo de si. Em quarto lugar, conquistar tanto poder antes que o papa morresse que poderia resistir sozinho a um primeiro embate. Quando Alexandre faleceu, o duque havia realizado três das quatro medidas. Ele havia assassinado todos os senhores despojados que pôde alcançar, deixando apenas poucos vivos; ele havia conseguido o apoio dos cavalheiros romanos e controlava a maior parte no Colégio. E, quanto a novas conquistas, ele resolvera se tornar senhor da Toscana, pois já possuía Perúgia e Piombino, e Pisa estava sob a sua proteção. E, como não tinha que pensar mais na França (pois os franceses já tinha sido expulsos do reino de Nápoles pelos espanhóis, e assim ambos queriam a sua amizade), ele saltou sobre Pisa. Depois disso, Luca e Siena cederam rapidamente, em parte devido ao ódio e em parte devido ao medo dos florentinos; e os florentinos não teriam remédio caso ele tivesse continuado a obter sucesso, como havia feito no ano em que Alexandre morreu. Pois o duque havia conquistado tanto poder e tanta reputação que teria se mantido sozinho, e não mais necessitava da sorte ou das forças dos outros, mas só de seu próprio poder e habilidade.

Mas Alexandre morreu cinco anos depois que ele começara a desembainhar a espada. Ele deixou o duque apenas com o estado da Romanha consolidado, com todos os outros no ar, entre dois poderosos exércitos inimigos e doente gravíssimo. Porém, o duque era tão corajoso e habilidoso, conhecia tão bem como se conquistam ou se perdem os homens, e tão sólidos eram os alicerces que em tão pouco tempo havia estabelecido que, se não tivesse tido aqueles exércitos sobre si, ou se estivesse bem de saúde, teria superado todas as dificuldades. E está claro que os seus alicerces eram bons, pois a Romanha o esperou por mais de um mês. Em Roma, ainda que apenas semivivo, manteve-se seguro; e, embora os Baglioni, Vitelli e Orsini pudessem ir a Roma, nada poderiam fazer contra ele. Se ele não pudesse tornar papa quem queria, pelo menos poderia evitar que fosse eleito quem não queria. Mas, se ele estivesse bem de saúde quando Alexandre morreu, tudo lhe teria sido fácil. No dia em que Júlio foi eleito, ele me disse que havia pensado sobre tudo o que poderia acontecer quando o pai morresse e havia encontrado uma solução para tudo, mas jamais havia pensado que, quando o seu pai morresse, ele também estaria à beira da morte.

Quando todas as ações do duque são lembradas, eu não sei como culpá-lo, mas me parece, como eu já disse, que deveria usá-lo como exemplo, para todos aqueles que, através da fortuna ou das armas dos outros, chegam ao governo. Pois ele, tendo um espírito animado e metas abrangentes, não poderia ter agido de outra forma, e somente a brevidade da vida de Alexandre e a sua própria enfermidade frustraram as suas conquistas. Portanto, aquele que achar necessário se assegurar no seu novo principado, fazer amigos, vencer ou pela força ou pela fraude, fazer-se amado e temido pelo povo, ser seguido e reverenciado pelos soldados, eliminar aqueles que têm poder ou razões para feri-lo, trocar a ordem antiga das coisas por nova ordem, ser severo e grato, magnânimo e liberal, destruir uma milícia infiel e criar uma nova, manter a amizade dos reis e dos príncipes, de modo que o ajudem com zelo ou o ofendam com temor, não poderá encontrar melhor exemplo do que as ações do duque.

Somente ele pode ser culpado pela eleição de Júlio para papa; ele fez uma escolha errada, pois, como foi dito, não podendo eleger o papa que quisesse, podia impedir que qualquer um que não quisesse fosse eleito. Assim, não deveria jamais ter consentido no papado de um cardeal que tivesse ferido ou que teria razões para temê-lo caso se tornasse papa. Pois homens ferem ou por medo ou por ódio. Ele havia ferido, dentre outros, San Piero ad Vincula, Colonna, San Giorgio e Ascânio.* Qualquer um dos outros, tornando-se papa, teria que temê-lo, exceto Ruão e os espanhóis; estes, devido aos seus relacionamentos e suas obrigações, e Ruão, pelo poder e por ter o reino da França ao seu lado. Consequentemente, antes de tudo, o duque deveria ter criado um papa espanhol e, não sendo possível, deveria consentir que fosse eleito o cardeal de Ruão, e não o de San Piero ad Vincula. Aquele que acreditar que novos benefícios farão com que grandes pessoas esqueçam velhas injúrias se engana. Portanto, o duque errou na sua escolha, o que foi a causa de sua ruína final.

---

* Júlio II havia sido cardeal de San Pietro ad Vincula; de San Giorgio, foi Rafael Riário, e Ascânio é o cardeal Ascânio Sforza.

VIII SOBRE AQUELES QUE CONQUISTARAM UM PRINCIPADO ATRAVÉS DA PERVERSIDADE

Apesar de um cidadão comum poder se tornar príncipe de duas formas, nenhuma das quais pode ser atribuída inteiramente à fortuna ou à genialidade, não me parece correto não falar sobre elas, ainda que de uma delas se possa falar mais amplamente quando analisamos as repúblicas. Estas formas ocorrem quando ou por maldade ou por ato perverso se alguém ascende ao principado, ou quando um cidadão comum torna-se príncipe de sua pátria pelo desejo de seus concidadãos. E, falando do primeiro método, ele será ilustrado através de dois exemplos, um antigo e outro atual, e, sem falar mais sobre este assunto, acredito que esses dois exemplos serão suficientes para aqueles que desejam segui-los.

Agátocles, o Siciliano, se tornou rei de Siracusa não só a partir de uma posição de simples soldado, mas também de uma posição ínfima e abjeta. Esse homem, filho de um oleiro, ao longo de todas as mudanças na sua existência, teve uma vida criminosa. Todavia, ele cercou todas as suas infâmias com tanta habilidade que, tendo se dedicado à profissão militar, foi avançando na carreira até se tornar pretor de Siracusa. Uma vez investido nesse posto e tendo se decidido a se tornar príncipe e conquistar isto através da violência, sem dever favores a ninguém, chegou a um entendimento com Amílcar, o Cartaginês, que estava lutando com seu exército na Sicília. Certa manhã, ele reuniu o povo e o Senado de Siracusa como se tivesse de deliberar sobre assuntos pertinentes à república e, a um sinal combinado, seus soldados mataram todos os senadores e os mais ricos da cidade. Com os opositores mortos, ele ocupou e manteve o principado daquela cidade sem qualquer desordem civil. E, apesar de ter lutado duas vezes contra os cartagineses e acabar sitiado, ele não somente pôde defender a sua cidade, deixando parte dos seus homens encarregados dessa defesa, como com o restante assaltou a África e em pouco tempo libertou Siracusa do sítio. Os cartagineses, reduzidos a extrema dificuldade, foram obrigados a se render a Agátocles e, deixando a Sicília para ele, tiveram que se contentar com a posse da África.

Portanto, aquele que examinar as ações e a genialidade desse príncipe verá que não há nada, ou muito pouco, que possa ser atribuído à sorte. Suas conquistas resultaram, como mostrado acima, não do favor de alguém, mas de sua ascensão, passo a passo, na profissão militar, passos que foram dados com mil aborrecimentos e perigos e que ele manteve corajosamente entre muitos desafios e riscos. Porém, não se pode chamar de virtude o assassinato dos seus concidadãos, nem a traição aos amigos, ser sem fé, sem piedade, sem religião; tais modos podem conquistar um império, mas não a glória. Mas, mesmo assim, se considerarmos a coragem de Agátocles ao entrar e no sair dos perigos e a grandeza de seu ânimo ao suportar e superar as adversidades, não se achará por que ele deva ser julgado inferior a qualquer dos mais excelentes capitães. Contudo, sua crueldade extrema e sua desumanidade, com infinitas maldades, não permitem que ele seja celebrado entre os homens mais ilustres. O que ele conquistou não pode ser atribuído nem à sorte nem à genialidade.

Nos nossos tempos, durante o reinado de Alexandre VI, Oliverotto de Fermo, tendo ficado órfão muito anos antes, foi criado por um tio materno chamado Giovanni Fogliani e, no início da sua juventude, foi mandado lutar sob o comando de Paulo Vitelli, a fim de que, sendo treinado naquela disciplina, pudesse atingir alguma posição alta na profissão militar. Após a morte de Paulo, ele militou sob Vitellozzo, irmão de Vitelli, e em muito pouco tempo, sendo engenhoso e tendo físico e ânimo fortes, tornou-se o primeiro homem de sua milícia. Mas, parecendo-lhe coisa servil ficar sob as ordens de outra pessoa, ele decidiu, com a ajuda de alguns cidadãos de Fermo, que achavam mais importante a servidão que a liberdade de sua pátria, e com a ajuda dos Vitelli, ocupar Fermo. Então ele escreveu a Giovanni Fogliani dizendo que, por ter passado muitos anos fora de casa, desejava visitá-lo e de certa forma conhecer o seu patrimônio. E, apesar de não ter trabalhado para adquirir nada fora a honra, para que seus concidadãos vissem como não tinha gasto o tempo em vão, queria chegar com pompa. Iria então chegar acompanhado de cem cavalheiros, de amigos e servidores, e pediu a Giovanni que fosse recebido pelos cidadãos de Fermo com todas as honras, o que não somente o dignificaria, mas também ao próprio Giovanni, já que fora ele quem o havia criado.

    Giovanni, portanto, não deixou de dar atenção a seu sobrinho e fez com que fosse recebido com todas as honras pelos fermos. Ele o hospedou em sua própria casa, onde, tendo passado alguns dias e organizado o que era necessário para as suas cruéis intenções, Oliverotto preparou um banquete solene para Giovanni Fogliani e os principais homens de Fermo. Quando a comida e todos os outros entretenimentos usuais de tais banquetes haviam terminado, Oliverotto começou um discurso habilidoso, falando sobre a grandeza do papa Alexandre e do seu filho César, e dos empreendimentos deles, o que provocou respostas de Giovanni e dos demais presentes. Repentinamente, ele se levantou dizendo que tais assuntos deveriam ser discutidos em um lugar mais privado e se retirou para um cômodo, e Giovanni e todos os outros o acompanharam. Mal haviam sentado, soldados que estavam escondidos apareceram ao redor deles e mataram Giovanni e os demais. Após estes assassinatos, Oliverotto montou o seu cavalo, correu a cidade e sitiou o supremo magistrado no palácio, fazendo que o povo, com medo, fosse obrigado a obedecer-lhe e formar um governo do qual se fez príncipe. Ele matou todos os descontentes que poderiam feri-lo e se fortaleceu com novas ordens civis e militares, de tal forma que, durante o ano em que manteve o principado, ele não estava apenas seguro na cidade de Fermo, como também era temido por todos os seus vizinhos. E a sua destruição teria sido tão difícil quanto a de Agátocles, se ele não tivesse sido enganado por César Bórgia, que o prendeu, como fez com os Orsini e os Vitelli, como já foi dito. E assim, um ano após ter cometido o parricídio, ele foi estrangulado, juntamente com Vitellozzo, mestre de suas virtudes e suas maldades.

Algumas pessoas podem se perguntar como Agátocles e outros parecidos com ele puderam viver seguros nos seus países por tanto tempo, após tantas traições e crueldades, e ainda se defender dos inimigos externos sem que os seus concidadãos tivessem conspirado contra eles; vendo que muitos outros, através da crueldade, nunca foram capazes de manter o estado em períodos de paz e muito menos em tempos de guerra. Eu acredito que isso resulte do fato de as crueldades serem mal ou bem usadas. Bem usadas, pode-se dizer daquelas (se do mal for lícito falar bem) às quais se recorre instantaneamente, pela necessidade de manter a própria segurança e que não são utilizadas com persistência, a menos que possam vir a ser favoráveis para os súditos. Crueldades mal usadas são aquelas que, mesmo poucas a princípio, com o decorrer do tempo aumentam, ao invés de se extinguirem. Aqueles que agem do primeiro modo podem remediar sua situação com o apoio de Deus e dos homens, como aconteceu com Agátocles. Para os outros, que seguem o outro modo, é impossível se manter no poder.

Por isso, podemos notar que, ao ocupar um estado, o usurpador deve examinar de perto todas as feridas que será necessário causar e fazê-las de uma só vez, para não precisar repeti-las a cada dia; e assim, ao dar segurança aos homens, ele poderá conquistá-los com benefícios. Aquele que fizer de outra forma, ou por timidez ou por mau conselho, terá sempre necessidade de manter a faca na mão, não podendo nunca confiar em seus súditos, pois estes também não confiarão nele, devido às injúrias contínuas e repetidas. Pois as feridas devem ser feitas todas de uma só vez, para que, ao serem sentidas por menos tempo, ofendam menos; já os benefícios devem ser feitos aos poucos, para que sejam mais bem apreciados.

E, sobre todas as coisas, um príncipe deve viver com seus súditos para que nada inesperado, bom ou ruim, o faça mudar, porque, se isso for necessário em tempos adversos, não estará em tempo de fazer o mal, e o bem que fizer não o ajudará, pois julgarão que foi forçado a isso e, portanto, não resultará em gratidão.

IX SOBRE UM PRINCIPADO CIVIL

Mas, passando ao outro ponto, quando um cidadão importante se torna príncipe do seu país, não por maldade ou qualquer violência intolerável, mas devido à vontade dos seus concidadãos, isto pode ser chamado de principado civil. Para isso acontecer, não é necessário genialidade ou sorte, mas simplesmente astúcia afortunada. Eu digo então que tal principado é obtido ou pela vontade do povo ou pela vontade dos poderosos. Porque, em todas as cidades, esses dois grupos estão presentes e disso transparece que o povo não quer ser governado ou oprimido pelos poderosos, e os poderosos desejam governar e oprimir o povo; e, destes dois desejos, surge em cidades um destes três possíveis resultados: ou um principado, ou o autogoverno, ou a anarquia.

Um principado é criado ou pelo povo ou pelos poderosos, conforme uma ou outra destas partes tenha a oportunidade. Os poderosos, ao ver que não conseguem resistir ao povo, começam a aumentar a reputação de um dentre eles e o tornam príncipe para poderem, sob sua sombra, realizar as suas ambições. O povo, vendo que não pode resistir aos poderosos, também engrandece a reputação de um dentre eles e faz o príncipe para que possa ser defendido pela sua autoridade. Aquele que se torna príncipe com a ajuda dos poderosos se mantém com mais dificuldade do que aquele que chega ao posto com a ajuda do povo, pois ele se encontra cercado de pessoas que o consideram seu igual e, por causa disso, ele não pode nem reinar sobre eles nem gerenciá-los da forma que gostaria. Mas aquele que chega ao principado devido à vontade do povo se encontra sozinho e não tem ninguém, ou tem poucos à sua volta, que não estejam prontos para obedecê-lo.

Além disso, não se pode satisfazer os poderosos através da honestidade e sem prejudicar os outros, mas é possível satisfazer o povo, pois o objetivo dele é mais honesto do que o dos poderosos; estes querem oprimir, enquanto o povo só deseja não ser oprimido. Também se deve dizer que um príncipe jamais pode estar seguro contra um povo hostil, pois há muitos deles, enquanto com os poderosos ele pode garantir sua segurança, já que são poucos. O pior que um príncipe pode esperar de um povo hostil é ser abandonado por ele; mas dos poderosos inimigos não só deve temer ser abandonado, como também deve temer que se levantem contra ele; pois estes, tendo mais visão e maior astúcia nesses assuntos, sempre agem a tempo de se salvar e de obter favores daquele que esperam que venha a vencer. Ainda, o príncipe tem de viver, necessariamente, sempre com o mesmo povo, mas pode viver bem sem aqueles mesmos poderosos, sendo capaz de fazer e desfazer deles diariamente, dando ou tirando autoridade quando quiser.

Então, para esclarecer esta parte, eu digo que os poderosos devem ser analisados de duas formas: ou eles agem de tal forma que os liga completamente ao seu futuro, ou não. Aqueles que se ligam a você, e não são ladrões, devem ser honrados e amados; aqueles que não se ligam a você podem ser encarados de dois modos. Eles podem fazer isso por pusilanimidade e por uma falta natural de coragem e, neste caso, você deve se aproveitar deles, em especial dos que são bons conselheiros; e assim, na prosperidade, você os honrará e, na adversidade, não precisará temê-los. Mas quando eles, movidos pela própria ambição, resistem a se unir a você, é sinal de que pensam mais em si próprios do que em você, e um príncipe deve ficar atento a isso e temê-los como se fossem inimigos declarados, pois na adversidade sempre ajudarão a arruiná-lo.

Por isso, quem se torna príncipe mediante o desejo do povo deveria continuar amigo dele, e isso ele pode fazer facilmente, já que a única coisa que lhe pede é que não seja oprimido. Mas aquele que, contrário ao desejo do povo, se torna príncipe devido ao desejo dos poderosos, deve sobretudo tentar ganhar o apoio do povo, e isto ele pode fazer com facilidade, assumindo sua proteção. Pois homens, quando recebem o bem de quem esperavam somente o mal, tornam-se mais ligados ao seu benfeitor, e assim o povo se torna rapidamente mais devoto a ele do que se o tivesse levado ao principado. O príncipe pode ganhar o apoio do povo de diversas maneiras, mas, como estas variam de acordo com as circunstâncias, fica difícil estabelecer regras, e por esta razão não irei mencioná-las. Mas repito que é necessário para um príncipe manter o povo seu amigo, para poder ter segurança em momentos de adversidade.

Nabis, príncipe dos espartanos, suportou o ataque de toda a Grécia e de um exército romano vitorioso e contra eles defendeu a sua pátria e o seu governo; e para superar esse perigo lhe foi necessário apenas se proteger de poucos, o que não seria suficiente se tivesse o povo como inimigo. E não deixe que ninguém refute aquilo que eu digo com aquele provérbio conhecido, segundo o qual 'quem se apoia no povo, firma-se na lama', porque é verdadeiro somente quando um cidadão comum estabelece bases no principado e imagina que o povo o libertará caso ele seja oprimido pelos seus inimigos ou pelos magistrados. Neste caso, ele se sentirá frequentemente enganado, como os Gracos em Roma e *Messer* Giorgio Scali em Florença. Mas se o príncipe for alguém que se estabeleceu como falamos antes, que possa mandar e seja um homem de coragem, que não esmoreça nas adversidades, não falte em outras áreas e que, através da sua determinação e energia, mantenha o povo encorajado – sendo assim, o povo jamais se sentirá enganado por ele e ficará visível que ele estabeleceu fortes alicerces.

Esses principados estão sujeitos a perigo quando estão para passar da ordem civil para um governo absoluto, porque esses príncipes governam ou pessoalmente ou por intermédio dos magistrados. Neste último caso, o governo deles é mais fraco e inseguro, pois depende inteiramente da boa vontade dos cidadãos levados à magistratura, que, sobretudo nos tempos adversos, podem acabar com o governo facilmente, ou através de intrigas ou contrariando suas ordens. E o príncipe não tem como, em meio a tumultos, exercer a autoridade absoluta, pois os cidadãos e os súditos, acostumados a receber ordens dos magistrados, não estão preparados para lhe prestar obediência em meio às confusões e sempre haverá uma carência de pessoas em quem ele possa confiar nos tempos incertos. Tal príncipe não pode depender daquilo que observa em tempos de calmaria, quando cidadãos precisam do estado, porque em tal época todos concordam com ele; todos prometem e, quando a morte está longe, dizem que morreriam por ele; mas na adversidade, quando o estado precisa dos seus cidadãos, então poucos são encontrados. E esta experiência é tão perigosa que só pode ser testada uma vez. Por isso, um príncipe sábio deve fazer que os seus cidadãos sempre e em qualquer circunstância tenham necessidade do estado e dele mesmo; assim, estes sempre lhe serão fiéis.

X SOBRE COMO SE DEVEM MEDIR AS FORÇAS DE TODOS OS PRINCIPADOS

É preciso pensar em outro ponto ao examinar o perfil desses principados, isto é, se o príncipe tem tanto poder que, caso precise, possa se sustentar sozinho com os seus próprios recursos, ou se ele sempre precisa da assistência dos outros. E, para esclarecer melhor o que eu digo, falo que defino aqueles que podem se manter sozinhos como aqueles que podem, ou através da abundância de homens ou de dinheiro, juntar um exército grande o suficiente para travar batalha contra qualquer um que venha a atacá-lo. E defino aqueles que sempre precisam da assistência dos outros como aqueles que não conseguem lutar contra o inimigo no campo de batalha, mas são obrigados a refugiar-se atrás dos muros da cidade. O primeiro caso já foi discutido, mas falaremos dele novamente caso venha a ocorrer outra vez. No segundo caso, não podemos falar nada além de incentivar tais príncipes a aumentar as provisões e a fortificar as suas cidades e em nenhum caso defender o país. E aquele que fortificar bem a sua cidade e tiver lidado com as outras preocupações dos seus súditos, como falamos anteriormente, nunca será atacado sem grande temor, pois homens são sempre contra ações onde veem dificuldades, e não será fácil atacar aquele que tem sua cidade bem fortificada e não é odiado pelo seu povo.

As cidades da Alemanha são absolutamente livres; elas têm pouco território e obedecem ao imperador quando querem, não temendo nem a este nem a outro poderoso que esteja por perto, porque são fortificadas de tal forma que todos pensam que tentar atacá-las será uma tarefa enfadonha e difícil, pois veem que elas têm eficientes fossos e muros, possuem artilharia suficiente e sempre conservam nos seus depósitos grande quantidade de comida e bebida para continuarem lutando por um ano. E, além disso, para manter o povo quieto e sem prejuízo ao estado, têm sempre como dar trabalho à comunidade naquelas atividades que são a base da vida e da força daquela cidade e nas quais o povo encontra seu sustento; elas também têm grande respeito pelos exercícios militares. E, mais importante, têm muitas leis para ordená-las.

Portanto, um príncipe que tiver uma cidade forte e não for odiado não será atacado, ou, se alguém atacá-lo, simplesmente terá que se retirar com vergonha. Novamente, como as coisas do mundo mudam tanto, é quase impossível manter um exército por um ano inteiro no campo de batalha sem que alguém o assedie. E a quem replicar: se o povo tiver propriedade fora da cidade e a vir ser queimada, não permanecerá paciente; o longo assédio e a autopiedade farão que esqueça o príncipe. A isso eu respondo que um príncipe poderoso e corajoso superará tais dificuldades ao dar aos súditos esperança de que o mal não durará muito tempo e também fazendo que sintam medo da crueldade do inimigo e se protegendo com sabedoria daqueles súditos que lhe pareçam muito temerários.

Além disso, o inimigo iria, naturalmente, na sua chegada, queimar e arruinar o campo quando o ânimo dos homens ainda está ardente e pronto para a defesa; e, por isso, o príncipe deve hesitar ainda menos, pois, após um tempo, quando os ânimos estiverem mais frios, os danos já terão sido causados, os males já terão sido sofridos e não haverá mais remédio. E, assim, os súditos estarão ainda mais prontos a se unir com o seu príncipe, parecendo-lhes que este esteja em dívida com eles, agora que suas casas foram incendiadas e suas propriedades arruinadas para defesa dele. Pois é da natureza dos homens se unir tanto pelos benefícios que fazem como por aqueles que recebem. Portanto, se considerarmos tudo, não será difícil para um príncipe sábio manter firme o ânimo dos seus súditos, desde que não deixe de os apoiar e defender.

XI — SOBRE PRINCIPADOS ECLESIÁSTICOS

Agora nos resta somente falar dos principados eclesiásticos, nos quais todas as dificuldades existem antes de conquistá-los, pois são adquiridos ou devido à habilidade ou devido à sorte e podem ser mantidos sem nenhuma destas duas coisas. Isto porque são sustentados pelas ordens estabelecidas na religião, que são todo-poderosas e de tal natureza que os principados podem ser mantidos independentemente de como o príncipe vive e se comporta. Só estes príncipes possuem estados e não os defendem, têm súditos e não os governam, e os estados, mesmo sem ser guardados por soldados, não lhes são tomados, e os súditos, apesar de não serem governados, não se importam e não têm nem a habilidade nem o desejo de se alienar dele. Somente esses principados são seguros e felizes. Mas, sendo esses principados dirigidos por forças que a mente humana não compreende, não falarei mais sobre eles, mesmo porque, sendo exaltados e mantidos por Deus, seria presunçoso e temerário discutir a seu respeito.

Contudo, se alguém me perguntar como a Igreja obteve tanto poder temporal, sendo que antes de Alexandre os potentados italianos (e não apenas aqueles que eram ditos "potentados", mas qualquer barão e senhor, ainda que sem importância) deram pouco valor ao poder temporal – e, no entanto, agora um rei da França treme diante dele, e ele pôde expulsá-lo da Itália e arruinar os venezianos – mesmo que isto pareça bem óbvio, não me parece supérfluo trazê-lo de volta, até certo ponto, à memória.

Antes que Carlos, rei da França, invadisse a Itália,* seu território estava sob o domínio do papa, dos venezianos, do rei de Nápoles, do duque de Milão e dos florentinos. Estes potentados tinham duas importantes preocupações: uma, que, entre eles mesmos, nenhum estrangeiro entrasse na Itália com tropas; a outra, que nenhum ocupasse mais território. Aqueles em torno dos quais havia mais receio eram o papa e os venezianos. Para conter os venezianos, a união de todos os demais era necessária, como foi para a defesa de Ferrara; e, para deter o papa, usaram os barões de Roma, que, estando divididos em duas facções, Orsini e Colonna, sempre tinham pretexto para desentendimento; e, estando eles com as armas em punho sob os olhos do pontífice, mantiveram o pontificado fraco e sem poder; e apesar de às vezes surgir um papa corajoso, como foi Xisto, nem a sorte nem a sabedoria poderiam livrá-lo desses problemas. E a vida breve de um papa também era causa de fraqueza, pois em dez anos, que é a duração média da vida de um papa, somente com dificuldade ele poderia enfraquecer uma das facções; e se, por exemplo, um papa conseguisse quase destruir os coloneses, surgiria outro papa hostil aos Orsini,

---

* Carlos VIII invadiu a Itália em 1494.

que apoiaria seus oponentes e assim não teria tempo de liquidar os Orsini. Foi por essa razão que se dava pouca importância na Itália ao poder temporal do papa.

Alexandre VI surgiu depois e, de todos os pontífices que existiram, foi quem mostrou como um papa com dinheiro e tropas poderia prevalecer; e, através do duque Valentino e com o pretexto da invasão dos franceses, ele realizou todas as coisas que apresentei acima com relação às ações do duque. E, apesar de não ser a sua intenção engrandecer a Igreja, mas sim o duque, mesmo assim o que ele fez contribuiu para a grandeza da Igreja, a qual, após a sua morte e a ruína do duque, se tornou herdeira de toda a sua obra.

O papa Júlio veio em seguida e encontrou a Igreja forte, possuindo toda a Romanha, os barões de Roma reduzidos à impotência e, devido às perseguições de Alexandre, as facções desmanteladas. Ele também encontrou o caminho aberto para acumular dinheiro de uma forma jamais praticada antes. Júlio não apenas seguiu tais práticas, mas as aperfeiçoou e pretendia conquistar Bolonha, arruinar os venezianos e expulsar os franceses da Itália. Todos esses empreendimentos foram um sucesso com ele, e ele ainda fez tudo para engrandecer a Igreja, e não para fortalecer algum cidadão em especial. Ele também manteve as facções Orsini e Colonna nas mesmas condições em que as encontrou e, apesar de ter dentre eles alguns com vontade de causar distúrbios, mesmo assim manteve duas coisas firmes: primeiro, a grandeza da Igreja, com a qual ele os aterrorizava; segundo, não lhes permitindo ter os seus próprios cardeais, os quais eram os causadores dos tumultos entre eles. Pois, a partir do momento em que essas facções têm seus próprios cardeais, eles não ficam quietos por muito tempo, porque os cardeais sustentam as facções dentro e fora de Roma, os barões são compelidos a apoiá-los, e assim, da ambição dos prelados, nascem as discórdias e os tumultos entre os barões. Por essas razões, Sua Santidade o papa Leão encontrou o pontificado bastante forte e é de esperar que, se outros o fizeram grande pelas armas, ele o fará ainda maior e mais venerado através da sua bondade e das suas outras infinitas virtudes.

XII QUANTAS ESPÉCIES DE MILÍCIAS EXISTEM E SOBRE SOLDADOS MERCENÁRIOS

Tendo falado sobre as características dos principados, os quais já no início me propus comentar, e tendo considerado até certo ponto as causas de serem bons ou ruins, mostrando os métodos pelos quais muitos procuraram adquiri-los e conservá-los, resta agora discutir de forma geral os meios de ataque e defesa relativos a cada um.

Vimos antes como é necessário para um príncipe ter seus fundamentos bem estabelecidos, do contrário, necessariamente, cairá em ruína. Os principais alicerces de todos os estados, tanto novos como velhos ou mistos, são boas leis e boas armas. E, como não se pode ter boas leis onde o estado não está bem armado, segue-se que onde está bem armado, ele tem boas leis. Deixarei as leis de fora da discussão e falarei sobre as armas.

Eu digo, portanto, que as armas com as quais um príncipe defende o seu estado ou são próprias, ou são mercenárias, ou auxiliares, ou mistas. As mercenárias e as auxiliares são inúteis e perigosas e, se alguém mantém o seu estado baseado nessas armas, não estará nem firme nem seguro, pois elas são desunidas, ambiciosas e indisciplinadas, infiéis, valentes diante dos amigos e covardes diante dos inimigos. Mercenários não temem a Deus e não são fiéis aos homens, e a destruição é adiada tanto quanto o ataque, pois quando há paz se é roubado por eles e quando há guerra se é roubado pelo inimigo. O fato é que eles não têm nenhuma razão para continuar no campo de batalha que não o soldo, o qual não é suficiente para fazer com que estejam dispostos a morrer por você. Estão prontos para ser seus soldados enquanto você não está em guerra, mas, quando esta surge, eles vão embora ou fogem do inimigo. Não será difícil provar isso, pois a ruína da Itália se deve a nada mais do que depositar as suas esperanças, durante muitos anos, em mercenários. E, apesar de eles já terem demonstrado alguma valentia, assim que os estrangeiros surgiram, mostraram quem realmente eram. E foi assim que Carlos, rei da França, pôde tomar a Itália com giz em sua mão;* e quem disse que a causa disso foram os nossos pecados, dizia a verdade, mas não eram os pecados que ele imaginava, mas aqueles que relatei. E, como foram os pecados dos príncipes, também foram eles que sofreram a penalidade.

Desejo demonstrar, ainda, a péssima qualidade dessas tropas. Os capitães mercenários são ou homens capazes ou não; se forem capazes, não se pode confiar neles, pois sempre aspirarão à própria grandeza, ou oprimindo, você que é patrão deles, ou oprimindo outros contra a sua vontade; mas, se o capitão não for um homem capaz, você está arruinado do mesmo jeito.

E se alguém responder que qualquer um que estiver armado agiria da mesma forma, mercenário ou não, eu direi que, quando armas precisam ser usadas por um príncipe

---

* Foi apenas necessário ele pegar o giz para alistar os soldados.

ou por uma república, o príncipe deve ir pessoalmente com as tropas e exercer as atribuições do capitão. A república tem que mandar os seus cidadãos e, quando mandar algum que não seja bom, deve substituí-lo, e quando um se revela bom soldado, deve segurá-lo com as leis para que não deixe o comando. E a experiência já nos mostrou príncipes e repúblicas armados, sozinhos, fazendo grande progresso, e mercenários causando nada além de danos. E é mais difícil fazer que uma república armada com suas próprias tropas se submeta ao domínio de um de seus cidadãos do que aquela que esteja protegida por tropas estrangeiras. Roma e Esparta foram durante muitos anos armadas e livres. Os suíços são completamente armados e bastante livres.

Das tropas mercenárias antigas, podemos citar como exemplo os cartagineses, que foram oprimidos por seus soldados mercenários após a primeira guerra com os romanos, apesar de os cartagineses terem seus próprios cidadãos como capitães. Após a morte de Epaminondas, Filipe da Macedônia foi feito capitão dos seus soldados pelos tebanos, e após a vitória lhes tirou a liberdade.

Com o duque Filipe morto, os milaneses alistaram Francisco Sforza para combater os venezianos, e ele, tendo vencido o inimigo em Caravaggio, se uniu a eles para acabar com os milaneses, seus patrões. Seu pai, Sforza, estando a serviço da rainha Joana de Nápoles,* deixou-a desprotegida, sendo assim forçada a se lançar nos braços do rei de Aragão para salvar o seu reino. E se os venezianos e os florentinos já haviam aumentado o seu domínio com

---

* Joana II de Nápoles, viúva de Ladislau, rei de Nápoles.

essas tropas, e os seus capitães não se tornaram príncipes, mas os defenderam, eu respondo que os florentinos, neste caso, foram favorecidos pela sorte, porque os capitães habilidosos, que deveriam temer, alguns não venceram, alguns enfrentaram oposição e outros direcionaram a sua ambição para outro local. Um daqueles que não conquistou nada foi Giovanni Aucut,* e como ele não conquistou nada a sua fidelidade não pôde ser provada; mas todos concordarão que, caso tivesse vencido, os florentinos estariam à sua mercê. Sforza sempre teve os Braccio contra si, desse modo, um estava sempre vigiando o outro. Francisco voltou sua ambição para a Lombardia; Braccio, contra a Igreja e o reino de Nápoles. Mas vamos voltar ao que ocorreu há pouco tempo. Os florentinos fizeram Paulo Vitelli seu capitão, homem muito prudente, que de cidadão comum havia alcançado ótima reputação. Se esse homem tivesse conquistado Pisa, ninguém pode negar que teria sido correto os florentinos estarem com ele, mesmo porque, se ele se tivesse tornado soldado de seu inimigo, ninguém resistiria a ele e, tendo-o ao seu lado, deveriam obedecê-lo. Se examinarmos as conquistas dos venezianos, veremos que eles agiram de forma segura e gloriosa ao enviar seus próprios homens, cavalheiros e plebeus, para a guerra. Isso foi antes de voltarem suas atenções para as terras, mas, quando começaram a lutar em terra, abandonaram essa virtude e seguiram os costumes da Itália. E no início de sua expansão territorial, por não possuírem muito território, e devido à boa

---

* Cavalheiro inglês, líder dos mercenários, cujo nome era Sir John Hawkwood. Lutou nas guerras inglesas na França.

reputação, não precisavam temer muito seus capitães. Mas, quando ampliaram suas conquistas, como o que ocorreu sob Carmignola, sentiram o gosto desse erro, pois, tendo-o achado um homem muito valente (eles derrotaram o duque de Milão sob a sua liderança) e, por outro lado, sabendo como era morno no combate, temeram que não conseguiriam mais conquistas sob seu comando, e por essa razão não estavam querendo, e não podiam, deixá-lo ir; e então, para não perder novamente aquilo que haviam adquirido, foram compelidos a assassiná-lo para poderem se sentir seguros. Tiveram depois, como seus capitães, Bartolomeu de Bérgamo, Roberto de São Severino, Conde de Pitigliano e outros, sob os quais deviam temer a derrota e não a conquista, como ocorreu depois em Vailá, onde, em uma batalha, perderam tudo aquilo que haviam conquistado com tanto trabalho em oitocentos anos. Porque dessas tropas resultam apenas conquistas lentas, tardias e de pouca importância, mas as perdas são repentinas e impressionantes.

E com esses exemplos cheguei à Itália, que tem sido governada por mercenários por muitos anos. Agora, quero analisar essas tropas mais seriamente, para que, tendo visto a sua ascensão e o seu progresso, possa estar mais bem preparado para lidar com elas. Você precisa entender que, recentemente, o império vem sendo repudiado na Itália, que o papa tem adquirido mais poder temporal e que a Itália foi dividida em vários estados. Isso porque muitas das grandes cidades se levantaram contra a nobreza, a qual, antes favorecida pelo imperador, as mantinha oprimidas, e a Igreja estava favorecendo-a para obter autoridade em seu poder temporal; em muitas outras, os seus cidadãos se tornaram príncipes. Disso resultou que quase toda a Itália caiu nas mãos da Igreja e de repúblicas, e a Igreja sendo feita de padres, e as repúblicas de cidadãos sem o hábito das armas, ambas começaram a alistar mercenários estrangeiros.

O primeiro que deu fama a essa milícia foi Alberico da Conio, natural da Romanha. De sua escola vieram outros, dentre eles, Braccio e Sforza, que nos seus dias eram os árbitros da Itália. Depois destes vieram todos os outros capitães que até hoje têm chefiado as tropas italianas, e o fim do valor destas foi quando a Itália foi invadida por Carlos, saqueada por Luís, violentada por Fernando e insultada pelos suíços. O princípio que os guiou foi dar menos importância à infantaria para que pudessem aumentar a sua própria importância. Eles fizeram isso porque, vivendo do que ganhavam e sem território, não eram capazes de sustentar muitos soldados, e pouca infantaria não lhes daria autoridade, e então usaram a cavalaria, com uma força moderada e honrada, e a situação tornou-se tal que, em um exército de vinte mil soldados, não havia dois mil infantes. Tinham, além disso, usado todos os meios para afastar de seus soldados a fadiga e o perigo, não matando nos combates, mas fazendo prisioneiros e libertando-os depois sem resgate. Eles não atacavam as cidades de noite, e aqueles que as defendiam não assaltavam os acampamentos à noite, não cercavam os acampamentos nem com estacadas nem com fossos e não saíam a campo no inverno. Todas essas coisas eram permitidas nas suas regras militares, estabelecidas por eles para evitar, como eu já disse, a fadiga e os perigos; e foi assim que levaram a Itália à escravidão e à desgraça.

XIII SOBRE TROPAS AUXILIARES, MISTAS E PRÓPRIAS

Tropas auxiliares, que são a outra tropa inútil, são utilizadas quando um príncipe é chamado com as suas tropas para ajudar e defender, como foi feito pelo papa Júlio mais recentemente; pois ele, tendo visto na sua empreitada contra Ferrara que os seus mercenários eram inúteis, decidiu utilizar auxiliares e fez um acordo com Fernando, rei da Espanha, para ter a assistência dos seus homens armados. Essas tropas podem ser úteis e boas por si só, mas, para aquele que as chama, elas sempre são danosas; pois, ao perder, estará anulado e, se vencer, será prisioneiro delas.

E, apesar de a história estar repleta de exemplos, não quero deixar de falar do exemplo recente do papa Júlio II, pois ele, por querer Ferrara, foi insensato e se jogou inteiramente nas mãos de um estrangeiro. Mas a sua boa sorte fez surgir um terceiro evento, que evitou que colhesse os frutos da sua má escolha; porque, sendo os seus auxiliares derrotados em Ravena, e tendo surgido os suíços e expulsado os conquistadores (contra todas as expectativas dele e dos outros), o papa não se tornou prisioneiro dos seus inimigos, tendo estes fugido, nem dos seus auxiliares, por ter vencido usando outras armas, e não as deles.

Os florentinos, estando completamente desarmados, enviaram dez mil franceses para atacar Pisa, fazendo que corressem mais risco do que em qualquer outra época conturbada.

O imperador de Constantinopla, para ir contra os seus vizinhos, mandou dez mil turcos invadirem a Grécia, os quais, terminada a guerra, não quiseram deixar o país. Esse foi o início da servidão da Grécia aos infiéis.

Então, deixe aquele que não deseja conquistar fazer uso dessas tropas, pois elas são muito mais perigosas do que as mercenárias, porque com elas o estrago já está feito. Elas são todas unidas, todas obedientes a outros, mas com as mercenárias, após a conquista, mais tempo e melhores oportunidades são necessárias para estas poderem feri-lo. Elas não são uma comunidade só, são organizadas e pagas por você, e um terceiro partido, que você colocou como chefe, não é capaz de imediatamente assumir tanta autoridade que lhe cause dano. Concluindo, nas tropas mercenárias, o mais perigoso é a covardia; nas auxiliares, é o heroísmo. O príncipe sábio, portanto, sempre evita essas tropas e usa as suas próprias, devendo estar mais disposto a perder com elas do que conquistar com as outras, não considerando que seja uma verdadeira vitória quando conquista com tropas dos outros.

Eu jamais hesitarei em citar como exemplo César Bórgia e suas ações. Este duque entrou na Romanha com tropas auxiliares, levando para lá apenas soldados franceses e com eles conquistou Ímola e Forli. Mas, depois, não acreditando que essas tropas eram confiáveis, voltou-se para as mercenárias, julgando serem menos perigosas e alistando os Orsini e os Vitelli. Posteriormente, lutando com essas tropas, achou-as dúbias, infiéis e perigosas, destruiu-as e voltou-se para as suas próprias tropas. A diferença entre essas tropas pode ser facilmente detectada se examinarmos a diferença entre a reputação do duque quando ele usava as tropas francesas, depois quando usava os Orsini e os Vitelli e, finalmente, quando ficou com seus próprios soldados, nos quais ele podia sempre confiar e cuja fidelidade apenas aumentava. Ele nunca foi mais estimado do que quando todos viram que era o mestre absoluto de suas tropas.

Eu não pretendia usar exemplos além dos italianos e dos mais recentes, porém, não desejo deixar de mencionar Hierão de Siracusa, um dos citados anteriormente. Este homem, como já disse, tornado chefe do exército pelos siracusanos, logo descobriu que uma tropa mercenária, como os nossos condottieri italianos, não era de nenhuma utilidade. E, não vendo como poderia mantê-los ou dispensá-los, cortou-os em pedaços, passando depois a fazer guerra com as suas próprias tropas.

Quero também lembrar de uma história do Velho Testamento que é aplicável a este assunto. Davi se ofereceu a Saul para lutar contra Golias, provocador filisteu. Para encorajá-lo, Saul o vestiu com suas próprias armaduras, algo que Davi rejeitou assim que lhe foram colocadas, dizendo que não poderia usá-las e que preferia enfrentar o inimigo apenas com o seu estilingue e a sua faca. Concluindo, as armas dos outros ou caem das suas costas, ou lhe pesam, ou o constrangem.

Carlos VII, pai de Luís XI, que com sua sorte e virtude libertou a França dos ingleses, reconheceu a necessidade de se armar com suas próprias forças e estabeleceu em seu reino o exército de cavalaria e de infantaria. Mais tarde, o seu filho, o rei Luís, aboliu a infantaria e começou a alistar os suíços. Este erro, seguido de outros, como já vimos, se tornou fonte de perigo para aquele reino, pois, ao engrandecer os suíços, Luís diminuiu o valor das suas próprias tropas e, tendo abolido a infantaria e subordinado a sua cavalaria às milícias de outro, esta, acostumada a lutar ao lado dos suíços, passou a acreditar que não conseguiria vencer sem eles. E assim segue que os franceses não conseguem lutar contra os suíços e, sem os suíços, não lutam bem contra os outros. Os exércitos da França, portanto, se tornaram mistos, com parte das tropas mercenárias e parte das tropas próprias, tropas estas que, juntas, são muito melhores do que as mercenárias sozinhas ou as auxiliares sozinhas, porém, mesmo assim, muito inferiores ao exército próprio. Este exemplo mostra que o reino da França teria sido invencível se a organização militar de Carlos tivesse sido desenvolvida ou conservada.

Mas a falta de sabedoria dos homens faz que, quando começam uma coisa que lhes parece boa, não conseguem discernir o veneno que está escondido, como já exemplifiquei antes com a tuberculose. Portanto, se aquele que governa um principado só consegue reconhecer os males quando eles já estão à sua frente, não é verdadeiramente sábio, e este insight a poucos é dado. E, se considerarmos o primeiro desastre que aconteceu ao Império Romano, veremos que ele começou com o aliciamento dos godos, pois foi a partir desse momento que o vigor do Império Romano começou a cair, e todo o valor que o havia levado ao topo começou a ser passado para os outros.

Eu concluo, portanto, que nenhum principado está seguro sem ter forças próprias; pelo contrário, fica completamente sujeito à sorte, não existindo heroísmo para defendê-lo na adversidade. E sempre foi a opinião e o pensamento dos homens sábios que nada pode ser mais incerto ou instável do que a fama e o poder quando não são fundamentados nas suas próprias forças. As forças próprias são aquelas formadas ou de súditos, de cidadãos ou de dependentes; todas as outras são ou mercenárias ou auxiliares. E o modo de organizar as próprias tropas será fácil de encontrar se você refletir sobre regras que já mencionei e analisar como Filipe, pai de Alexandre Magno, e muitas repúblicas e principados se armaram e organizaram. A essas regras eu me reporto inteiramente.

XIV

SOBRE O QUE COMPETE A UM PRÍNCIPE A RESPEITO DA ARTE DA GUERRA

Um príncipe não deve ter nenhum outro objetivo ou pensamento, nem estudar nada além da guerra e das suas regras e disciplina, pois essa é a única arte que compete a quem governa, e ela é tão forte que não apenas mantém aqueles que nascem príncipes, mas muitas vezes permite a homens de condição comum subir àquele posto. E, ao contrário, vê-se que, quando os príncipes pensaram mais em descansar do que nas armas, perderam o seu estado. E a primeira causa que faz você perder o governo é negligenciar essa arte, e o que lhe permite conquistar o estado é o ser mestre dessa arte. Francisco Sforza, por ser um militar, de cidadão comum se transformou em duque de Milão, e os filhos, que evitavam os problemas e as fadigas das armas, de duques passaram a simples cidadãos comuns. Pois, dentre todos os males que resultam de estar desarmado, ele o torna desprezado, o que constitui uma daquelas infâmias de que o príncipe deve se guardar, como mostraremos depois. Não existe comparação entre um príncipe armado e um desarmado, não é razoável que quem esteja armado obedeça àquele que está desarmado, nem que o desarmado se sinta seguro entre servidores armados. Como um sente desdém e o outro insegurança, não é possível que trabalhem bem juntos. E, portanto, um príncipe que não compreende a arte da guerra, além dos outros prejuízos já mencionados, não pode ser respeitado pelos seus soldados nem pode confiar neles. Ele deve, portanto, nunca deixar que a guerra saia dos seus pensamentos e em momentos de paz deve pensar ainda mais nos exercícios de guerra do que em momentos de conflito. Isso ele pode fazer de dois modos: com a ação e com o estudo.

Quanto à ação, ele deve, sobre todas as coisas, manter as suas tropas bem organizadas e exercitadas, seguindo a caça, assim acostumando os seus corpos com o cansaço e conhecendo a natureza dos lugares e os traçados das montanhas, como embocam os vales, como se estendem as planícies, e a natureza dos rios e dos pântanos, pondo muita atenção em tudo isso. Esses conhecimentos são úteis por duas razões. Em primeiro lugar, ele aprende a conhecer o próprio país e assim é mais capaz de defendê-lo; depois, devido ao conhecimento e à observação daqueles locais, entenderá com facilidade qualquer outra região que venha a ter de estudar, porque as colinas, os vales, as planícies, os rios e os pântanos que existem, por exemplo, na Toscana, têm semelhanças com os dos outros países, de forma que, com o conhecimento geográfico de uma província, pode-se facilmente passar a ter conhecimento de outras. E o príncipe que não tem essa habilidade está desprovido do elemento essencial de que um capitão precisa, pois ela o ensina a surpreender o inimigo, escolher os locais para estabelecer os acampamentos, conduzir os exércitos, ordenar as jornadas e fazer incursões nos vilarejos com vantagem sobre o inimigo.

Dentre os elogios que escritores fizeram a Filopêmenes, príncipe dos aqueus, está o fato de que em tempos de paz não pensava em outra coisa senão nas regras de guerra e, quando excursionava pelos campos com os amigos, frequentemente parava e com eles argumentava:

— Se o inimigo estivesse sobre aquela colina e nós nos encontrássemos aqui com nosso exército, qual de nós teria vantagem? Como poderíamos atacá-lo, mantendo a formação da tropa? Se quiséssemos nos retirar, como deveríamos fazer? Se ele se retirasse, como faríamos para persegui-lo?

E assim, enquanto andavam, explicava a eles tudo o que poderia acontecer a um exército. Ele ouviria a opinião deles, daria a sua, corroborando-a com argumentos, de maneira que, com essas discussões contínuas, jamais ocorreria que, em tempos de guerra, encontrasse algum imprevisto com o qual não soubesse lidar.

Mas, para exercitar a mente, o príncipe deve ler sobre o passado e estudar as ações de homens ilustres, para ver como se conduziram nas guerras, examinar as causas de suas vitórias e de suas derrotas, de modo a poder evitar as derrotas e imitar as vitórias. Sobretudo, ele deve fazer como o homem ilustre fez, o qual adotou como exemplo outro que havia sido elogiado e famoso antes dele e cujas conquistas e ações sempre manteve em mente, como se diz que Alexandre Magno imitou Aquiles; César, Alexandre; e Cipião imitou Ciro. E quem ler sobre a vida de Ciro, escrita por Xenofonte, reconhecerá na vida de Cipião que aquela imitação o levou à glória, e como na castidade, afabilidade, humanidade e liberalidade, Cipião se assemelhava àquilo que Xenofonte escreveu sobre Ciro. Um príncipe sábio deve observar tais regras e nunca ficar ocioso nos tempos de paz, mas, sim, aumentar os seus recursos com habilidade, de tal forma que estarão à sua disposição na adversidade, a fim de que, quando a sorte mudar, ele esteja preparado para resolver seus problemas.

XV. Sobre o que leva os homens, sobretudo os príncipes, a ser elogiados ou condenados

Resta agora ver qual deveria ser o modo de conduta de um príncipe para com os súditos e os amigos. E como eu sei que muitos já escreveram sobre este assunto, imagino que seja considerado presunçoso escrever sobre isso neste livro, especialmente porque começarei com os métodos já dados por outros. Mas, sendo minha intenção escrever algo de útil para quem vai utilizá-lo, parece-me mais apropriado ir em busca da verdade extraída dos fatos, e não da imaginação. Pois muitos escreveram sobre repúblicas e principados que jamais existiram, porque o modo como se vive é tão distante de como se deve viver que aquele que negligencia o que se faz por aquilo que se deveria fazer aprenderá antes o caminho de sua ruína do que o da sua preservação. Porque um homem que quer em todas as suas palavras fazer profissão de bondade se perde em meio a tantos que não são bons.

Portanto, é necessário, para um príncipe que deseja manter o que é seu, saber como fazer o mal, e fazê-lo ou não de acordo com a necessidade. Assim, colocando de um lado coisas imaginárias que dizem respeito a um príncipe e discutindo aquelas que são reais, eu digo que todos os homens, quando falamos a respeito deles, e sobretudo dos príncipes, por terem uma posição mais alta, são notáveis por algumas das qualidades que ou lhes trazem culpa ou elogios. E é assim que um ganha a reputação de liberal, o outro de miserável, usando um termo toscano (porque "avaro" em nossa língua é ainda aquele que deseja possuir por roubo, enquanto chamamos de "miserável" aquele que se abstém em excesso de usar o que possui); alguns são tidos como generosos, outros, rapaces; alguns cruéis, outros, piedosos; um sem fé, o outro, fiel; um efeminado e covarde, o outro, valente e feroz; um afável, o outro, soberbo; um lascivo, o outro, casto; um sincero, o outro, astuto; um difícil, o outro, fácil; um sério, o outro, leviano; um religioso, o outro, incrédulo; e assim por diante. E eu sei que todos concordarão que seria perfeito se encontrássemos todas as qualidades que consideramos boas em um príncipe; mas, como elas não podem ser todas inteiramente possuídas ou observadas, pois a condição humana não permite isso, é necessário que ele seja prudente o suficiente para que saiba como evitar a infâmia daqueles vícios que lhe fariam perder o poder e também se manter, se possível, longe daqueles que colocariam o seu posto em risco; mas, se isso não for possível, ele poderá com menos hesitação se entregar a eles. E, ainda, o príncipe não precisa se sentir mal devido ao que as pessoas falarão sobre esses vícios, sem os quais o estado só poderá ser salvo com dificuldade, pois, se tudo for considerado, se verá que algo que pode parecer uma virtude, se praticada, seria a sua ruína, e alguma outra coisa que tenha a aparência de vício, se praticada, poderá lhe trazer segurança e prosperidade.

XVI — SOBRE LIBERALIDADE E PARCIMÔNIA

Começando então com a primeira das características citadas antes, eu diria que é bom ter a reputação de generoso. Contudo, a liberalidade praticada de tal forma que por ela não lhe venha reputação, o fere, porque, se usada de forma honesta e como deve ser usada, ela pode não se tornar conhecida e não evitará a má fama do seu oposto. Portanto, qualquer um que queira manter entre os homens a fama de liberalidade é obrigado a evitar qualquer atributo de ser magnífico, de tal forma que um príncipe que agir assim consumirá em ostentação toda a sua receita e terá necessidade de, no fim, se quiser manter a reputação de generoso, aumentar muito os impostos e fazer tudo o que puder para obter renda. Isso logo fará que os seus súditos passem a odiá-lo e, ficando pobre, ele será pouco estimado. Assim, com a sua liberalidade, tendo ofendido muitos e recompensado poucos, ele será afetado pelo primeiro problema e ficará sujeito ao primeiro perigo. Percebendo isso e querendo recuar, o príncipe logo fica com a má fama de ser miserável.

Portanto, um príncipe, não podendo exercer a qualidade de liberal de forma que ela seja reconhecida, sem se prejudicar com isso, se ele for sábio, não temerá a reputação de ser miserável, pois, com o passar do tempo, será mais bem-visto assim do que por sua liberalidade, porque ficará claro que com sua economia a receita é suficiente, e ele poderá se defender contra todos os ataques e poderá realizar empreendimentos sem ser um peso sobre o povo. Assim, o que ocorre é que ele vem a usar a liberalidade para com todos aqueles de quem não tira nada, que são muitos, e a empregar a parcimônia para com todos os outros aos quais não dá nada, que são poucos. Atualmente, não temos visto grandes realizações, senão daqueles que foram considerados miseráveis, enquanto os outros falharam. A fama de liberal ajudou o papa Júlio II a chegar ao papado, porém, ele não se esforçou depois em conservá-la, quando declarou guerra ao rei da França e fez tantas guerras sem lançar nenhum imposto extraordinário sobre seus súditos, pois pagava suas despesas adicionais com a poupança feita de longa data. O atual rei da Espanha não teria realizado ou conquistado muita coisa se tivesse mantido a reputação de liberal. Um príncipe, desde que não tenha que roubar os seus súditos para se defender, ou ficar pobre e desprezado, ou obrigado a se tornar ladrão, não deve se importar com a reputação de ser miserável, pois é um daqueles defeitos que permitem governar.

E, se alguém falar que César chegou ao império pela liberalidade, assim como muitos outros que alcançaram postos altos por serem liberais e também serem considerados liberais, eu respondo dizendo que ou você já é príncipe ou está a caminho de se tornar príncipe. No primeiro caso, essa liberalidade é perigosa; no segundo, é muito necessário ser considerado liberal; e César era um daqueles que queriam ascender ao principado de Roma, mas, se tivesse vivido mais tempo após chegar ao principado e não tivesse diminuído as suas despesas, teria destruído o seu governo. Se alguém replicar dizendo que já existiram muitos príncipes que conquistaram grandes feitos com os seus exércitos, mesmo sendo considerados liberais, eu responderei que ou o príncipe gasta do seu, ou do de seus súditos, ou dos outros. No primeiro caso, ele deve ser parcimonioso; no segundo caso, não deve deixar de praticar nenhuma liberalidade. E o príncipe que vai à frente com o seu exército, sustentando-o através de rapina, saques e extorsão, manejando os bens de outros, tem necessidade dessa liberalidade, porque, do contrário, não será seguido pelos soldados. E, daquilo que não é seu nem de seus súditos, você pode ser o mais generoso doador, como o foram Ciro, César e Alexandre, pois a sua reputação não é prejudicada se você gasta aquilo que é dos outros; pelo contrário, ela melhora. É somente gastar o que é seu que o prejudica. E não há nada que gaste mais rápido do que a liberalidade, pois, mesmo enquanto você a exerce, perde o poder de utilizá-la e assim se torna ou pobre ou desprezado, ou então, para evitar a pobreza, rapace e odioso. E um príncipe deve se guardar, sobre todas as coisas, de ser desprezado e odiado, e a liberalidade o conduz às duas coisas. Portanto, é mais sábio ter fama de miserável, que é reprovado, porém não causa ódio, do que ser obrigado, ao tentar obter fama de liberal, a ser conhecido como rapace, o que gera reprovação e ódio.

XVII SOBRE CRUELDADE, CLEMÊNCIA E SE É MELHOR SER AMADO OU TEMIDO

Voltando agora às outras qualidades antes mencionadas, eu digo que todo príncipe deve desejar ser tido como clemente, e não como cruel. Ele deve, porém, tomar cuidado para não usar mal a clemência. César Bórgia era considerado cruel; entretanto, a sua crueldade levou à reconciliação da Romanha, unindo-a e restaurando a paz e a lealdade. E, se examinarmos isso corretamente, veremos que ele foi muito mais piedoso do que o povo florentino, que, para evitar a fama de cruel, deixou que Pistoia fosse destruída. Portanto, um príncipe, desde que mantenha os seus súditos unidos e leais, não deve temer a má fama de cruel, pois, com poucos exemplos, ele será mais piedoso do que aqueles que, por excessiva piedade, deixam acontecer as desordens, que resultam em assassinatos ou roubos, pois estes costumam prejudicar todo o povo, enquanto as execuções que emanam do príncipe atingem apenas um indivíduo.

E, dentre todos os príncipes, é impossível que o príncipe novo evite a fama de cruel, porque todos os novos estados estão cheios de perigos. E assim Virgílio, pela boca da rainha Dido, se desculpa pela falta de humanidade do seu governo devido ao fato de ser novo, dizendo:

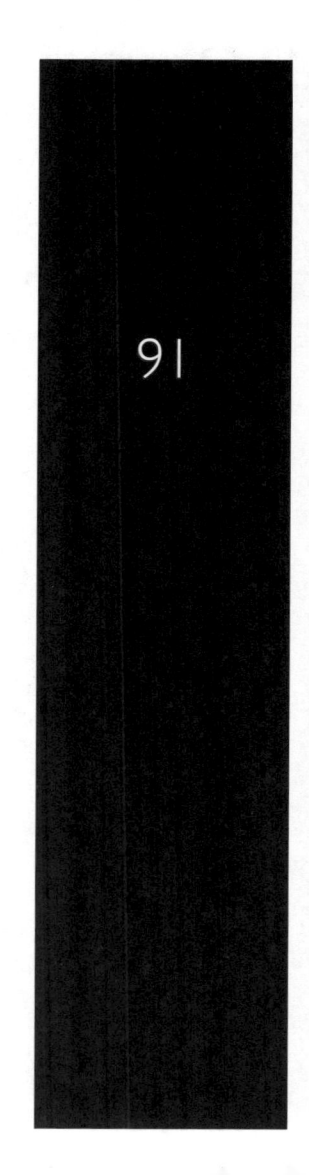

... contra a minha vontade, o meu destino,
um trono inseguro, um estado novo,
Faz que eu defenda o meu reino com todas as forças,
E guarde com severidade as minhas fronteiras.

Mesmo assim, o príncipe deve ser lento no acreditar e no agir, não deve demonstrar medo, mas proceder de forma equilibrada, com prudência e humanidade, para que um excesso de confiança não o torne incauto e desconfiança exagerada não o faça intolerável.

Daí surge uma questão: se é melhor ser amado que temido, ou temido do que amado. A resposta poderia ser que se deve querer ser as duas coisas, mas, como é difícil uni-las em uma pessoa, é muito mais seguro ser temido do que amado, quando uma das duas coisas tem que ser dispensada. Isso deve ser dito em geral sobre os homens, que são ingratos, volúveis, falsos, covardes, avarentos e, enquanto estão ganhando, eles estão com você, lhe oferecem o próprio sangue, os bens, a vida e os filhos, desde que, como disse antes, a necessidade de darem tudo isso esteja distante; mas, quando se aproxima, se revoltam. E o príncipe que, confiando inteiramente em suas promessas, negligenciou outras precauções, está arruinado, pois amizades que são adquiridas com dinheiro, e não devido à grandeza e à nobreza da mente, podem até ser compradas, mas com elas não se pode contar. E os homens têm menos escrúpulo em ofender quem amam do que quem temem, pois o amor é preservado pelo vínculo da obrigação, que, por serem os homens maus, é quebrado quando necessário; mas o medo os mantém unidos, devido ao pavor do castigo, que jamais vai embora.

Porém, o príncipe deve inspirar medo de tal forma que, se não conquistar o amor, evitará o ódio; pois ele pode muito bem ser temido sem ser odiado, o que sempre acontecerá, desde que não tome os bens e as mulheres de seus cidadãos e de seus súditos. Mas, quando lhe é necessário tirar a vida de alguém, ele deve fazer isso com uma boa justificativa e com causa manifesta, mas, sobre todas as coisas, não deve tocar na propriedade alheia, pois os homens esquecem mais facilmente a morte do pai do que a perda do patrimônio. Além disso, nunca faltam motivos para justificar as expropriações, e aquele que começa a viver de roubos sempre encontra razões para apossar-se dos bens alheios, mas razões para tirar a vida de alguém são mais difíceis e se esgotam mais depressa. Mas, quando o príncipe está à frente do seu exército e tem sob seu comando uma multidão de soldados, é necessário que ele não dê importância a sua reputação de cruel, pois sem ela jamais conservaria o exército unido e disposto a lutar.

Dentre as admiráveis ações de Aníbal está a seguinte: tendo chefiado um exército enorme, formado por homens de inúmeras raças, e lutado em terras estrangeiras, nunca surgiu qualquer desentendimento entre eles ou contra o príncipe, se isso fosse má ou boa sorte. Isto ocorreu devido a sua crueldade desumana, que, com as suas infinitas virtudes, tornou-o sempre venerado e terrível na opinião dos seus soldados, mas, sem a sua crueldade, as suas outras virtudes não teriam sido suficientes para produzir esse efeito. E escritores míopes admiram, de um lado, esses seus feitos e, de outro, condenam a principal causa deles. O fato de as suas outras virtudes não serem suficientes pode ser comprovado se consideramos o caso de Cipião, homem dos mais notáveis não somente nos seus tempos, mas também na memória de todos, e contra quem o seu exército se rebelou na Espanha. Isso ocorreu simplesmente devido a sua excessiva piedade, pois concedeu aos seus soldados mais liberdades do que convinha à disciplina militar. Por isso, ele foi censurado no Senado por Fábio Máximo e chamado de corruptor da milícia romana. Os locrenses foram destruídos por um legado de Cipião, mas não foram por ele vingados, nem a insolência daquele legado foi punida, devido inteiramente à sua natureza fácil. Tanto assim que no Senado, querendo alguém desculpá-lo, disse haver muitos homens que sabiam melhor não errar do que corrigir os erros. Se ele tivesse continuado no comando, essa disposição teria destruído a fama e a glória de Cipião, mas, vivendo sob o governo do Senado, essa sua característica prejudicial não somente ficou escondida, mas contribuiu para a sua glória.

Voltando à questão de ser temido ou amado, concluo que os homens amam como querem e temem de acordo com o desejo do príncipe; um príncipe sábio deve se apoiar naquilo que pode controlar, e não nos outros. Como já foi dito, deve apenas se empenhar para evitar o ódio.

XVIII SOBRE COMO OS PRÍNCIPES DEVEM MANTER SUA PALAVRA

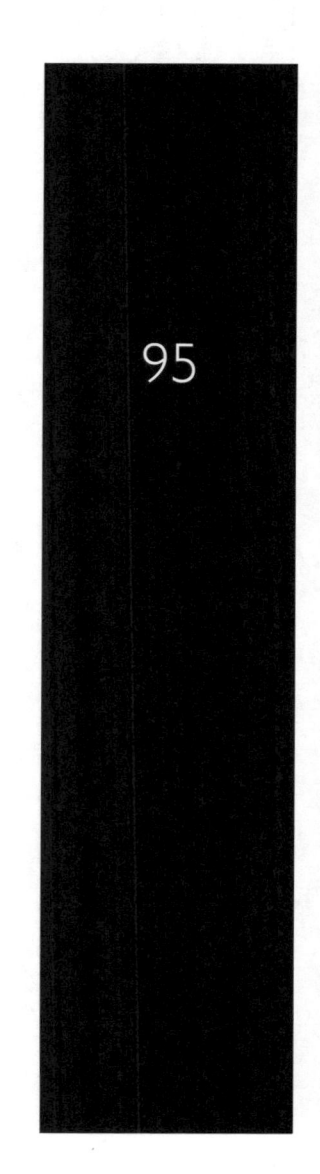

Todo mundo concorda que é louvável um príncipe que mantém a sua palavra e vive com integridade, e não com astúcia. Mesmo assim, a nossa experiência tem sido que aqueles príncipes que fizeram grandes coisas têm dado pouca importância a sua própria palavra e têm sabido como, com astúcia, transtornar o intelecto dos homens e, no fim, conseguido superar aqueles que se firmaram sobre a sua palavra. Você deve saber que existem duas formas de contestar; uma através das leis e a outra através da força. A primeira forma é própria do homem, e a segunda, dos animais. Mas, como a primeira forma frequentemente não é suficiente, é necessário poder recorrer à segunda forma. É portanto necessário para um príncipe entender como utilizar o lado animal e o lado humano. Isto tem sido ensinado aos príncipes, de forma figurada, pelos antigos escritores, que descrevem como Aquiles e muitos outros príncipes antigos foram confiados aos cuidados do centauro Quíron, que os educou de acordo com a sua disciplina. Isso significa simplesmente que, como tiveram como professor um ser que era metade animal e metade homem, é necessário que um príncipe saiba usar essas duas naturezas, e que uma sem a outra não é duradoura. Um príncipe, portanto, precisando saber bem empregar o animal, deve escolher a raposa e o leão, pois o leão não consegue se defender dos laços e a raposa não consegue se defender dos lobos. Portanto, é necessário ser uma raposa para conhecer os laços e um leão para aterrorizar os lobos. Aqueles que agem apenas como o leão não entendem como os laços agem. Portanto, um senhor sábio não pode nem deve guardar sua palavra quando isso é prejudicial a ele e quando as razões de ele ter dito o que disse não existem mais. Se os homens fossem inteiramente bons, esse preceito não se manteria; mas, como são maus e não manterão a palavra deles com você, não há razão para que você também cumpra a sua. Jamais faltaram a um príncipe razões legítimas para justificar a quebra da sua palavra. Eu poderia dar inúmeros exemplos modernos disso, mostrando quantos tratados e compromissos se tornaram vazios e sem efeito algum através da infidelidade dos príncipes; e aquele que soube como agir como a raposa se saiu melhor.

Mas é necessário saber disfarçar bem essa característica e ser um grande simulador e dissimulador: os homens são tão simples e tão sujeitos às necessidades do momento que aquele que procura enganar sempre encontra quem se deixe enganar. Não posso me privar de dar um exemplo recente. Alexandre VI não fez outra coisa senão enganar os homens; nem ao menos pensou em fazer outra coisa, e ele sempre encontrava vítimas, pois nunca existiu homem que tivesse maior eficácia em asseverar, ou que com maiores juramentos afirmasse uma coisa que, depois, não cumprisse. Porém, os seus enganos sempre fizeram que as coisas acontecessem de acordo com o seu desejo, pois ele conhecia bem esse lado das pessoas.

É, portanto, desnecessário que um príncipe tenha todas as qualidades anteriormente mencionadas, mas é bastante necessário que ele dê a impressão de possuí-las. E ainda ouso dizer que tê-las e sempre usá-las é danoso, enquanto aparentar ter essas qualidades é útil. Parecer piedoso, fiel, humano, religioso, íntegro, mas com a mente preparada, de modo que, precisando não ser essas coisas, possa e saiba ser o contrário.

E deve-se compreender o seguinte: que um príncipe, especialmente um príncipe novo, não pode praticar todas aquelas coisas pelas quais os homens são considerados bons, sendo muitas vezes obrigado, para manter o estado, a agir contra a fé, a amizade, a humanidade e a religião. Portanto, é preciso que ele tenha uma mente disposta a mudar de acordo com os ventos e as variações da sorte e ainda, como eu disse antes, não deixar de ser bom se possível, mas, se necessário, saber então ser o inverso.

Por essa razão, um príncipe deve ter muito cuidado para não deixar escapar de sua boca nada que não seja repleto das cinco qualidades antes mencionadas, para que ele pareça, para quem ver e ouvir, repleto de piedade, fé, humanidade, integridade e religião. Nada há mais necessário de aparentar ter do que essa última qualidade, já que os homens em geral julgam mais pelos olhos do que pelas mãos, porque todos poderão vê-lo, mas apenas alguns poderão tocá-lo. Todos veem o que você aparenta ser, poucos realmente sabem o que você é, e estes poucos não ousam contrariar a opinião dos muitos que, aliás, estão protegidos pela majestade do estado; e, nas ações de todos os homens, em especial dos príncipes, que não é prudente desafiar, julga-se pelos resultados.

Por essa razão, deixe que o príncipe fique com a glória de conquistar e manter o seu estado; os meios sempre serão julgados honestos, e ele será louvado por todos, pois o povo sempre se deixa levar pelas aparências e pelos resultados, e no mundo não existe senão o povo, pois poucos encontram um lugar quando muitos não têm onde se apoiar.

Um príncipe* dos dias de hoje, que não convém nomear, não prega senão a paz e a fé, e ele é hostil a ambas as coisas, e, se as tivesse praticado, teria perdido sua reputação e seu estado em mais de uma ocasião.

---

* Fernando de Aragão.

XIX SOBRE A NECESSIDADE DE EVITAR SER DESPREZADO OU ODIADO

Agora, no que diz respeito às características que mencionei antes, eu já falei das mais importantes. As outras, desejo examinar de forma mais breve. Sobre essas generalidades, o príncipe deve pensar, como já foi dito em parte anterior, em evitar coisas que possam torná-lo odiado e desprezível; e, sempre que agir assim, terá cumprido a sua parte e não deverá temer encontrar perigo em outros defeitos.

Como eu já disse, sobre todas as coisas, ele deve evitar ser ladrão e usurpador dos bens e das mulheres dos súditos, pois isto o tornará odiado. Quando nem a propriedade nem a honra é violada, a maioria dos homens vive feliz, e ele terá que combater apenas a ambição de poucos, que poderá deter facilmente de várias formas.

Ser considerado volúvel, leviano, efeminado, miserável e irresoluto o tornam desprezível, todas coisas das quais um príncipe deve se guardar como uma rocha; e ele deve procurar mostrar, em suas ações, grandeza, coragem, gravidade e fortaleza e, em suas atividades particulares com os súditos, deve mostrar que os seus julgamentos são irrevogáveis e manter-se com tal reputação, para ninguém sequer pensar em enganá-lo ou traí-lo.

O príncipe que é bem-visto transmite essa impressão, e os homens não conspiram contra aquele que é bem-visto, pois, desde que todos saibam que é um homem excelente e reverenciado pelo seu povo, ele só poderá ser atacado com dificuldade. Por essa razão, um príncipe deve temer duas coisas, uma de ordem interna, que parte dos seus súditos, e outra de ordem externa, devido aos potentados externos. Destes últimos, ele se defende estando bem armado e tendo bons aliados e, se ele estiver bem armado, terá bons amigos, e tudo sempre permanecerá tranquilo internamente quando tudo estiver tranquilo externamente, a menos que já tenha sido desordenado devido a conspirações. E, se eventos externos estiverem em desordem, se ele tiver se preparado e vivido como eu já disse, desde que não se desespere, resistirá a todos os ataques, como disse ter feito o espartano Nábis.

Mas, no que diz respeito aos súditos, quando assuntos externos geram distúrbios, ele só tem a temer que possam conspirar secretamente contra ele, problema do qual o príncipe pode se proteger ao evitar ser odiado e desprezado e mantendo o povo satisfeito com ele, coisa que é de extrema necessidade, como já foi dito. E um dos remédios mais eficazes que um príncipe pode ter contra as conspirações é não ser odiado e desprezado pelo povo, pois aquele que conspira contra o príncipe sempre espera agradar com a remoção dele, mas, quando o conspirador só pode avançar ofendendo o povo, ele não terá coragem de seguir adiante, pois as dificuldades que os conspiradores têm de enfrentar são infinitas. E, como se pode deduzir de experiências passadas, já existiram muitas conspirações, mas poucas tiveram sucesso, pois quem conspira não pode agir sozinho e só pode ter como companheiro aquele que acredita estar descontente. Mas, assim que você revela os seus pensamentos a um descontente, dá a ele motivo para ficar contente, pois, ao denunciá-lo, ele pode tirar todas as vantagens, de forma que, vendo o ganho certo ao fazer isso e percebendo que ao acompanhá-lo o seu ganho é dúbio e repleto de perigo, ele precisa ser um amigo raro, ou então um implacável inimigo do príncipe, para manter a sua palavra com você.

Resumindo, digo que do lado do conspirador nada há fora o medo, a inveja e a possibilidade de punição que o atordoa, mas, do lado do príncipe, existem a majestade do principado, as leis, a proteção dos amigos e do estado para defendê-lo. E assim, somando a isso a boa vontade do povo, é praticamente impossível que alguém seja tão temerário que venha a conspirar. Pois quando, em geral, o conspirador tem que temer antes de executar o seu plano, neste caso ele também deve temer o que acontecerá depois do crime, pois terá ainda o povo como seu inimigo e, portanto, não poderá esperar que consiga escapar.

Inúmeros exemplos poderiam ser dados sobre este assunto, mas me contentarei com um que ocorreu no tempo dos nossos pais. *Messer* Aníbal Bentivoglio, príncipe em Bolonha (avô do atual Aníbal), foi assassinado pelos Canneschi, que contra ele haviam conspirado, não restando de sua família senão *messer* Giovanni, que ainda era criança na época. Imediatamente após esse assassinato, o povo se levantou e matou todos os Canneschi.

Isso ocorreu porque na época todos os Bentivoglio eram queridos pelo povo em Bolonha, amor tão grande que, mesmo sem restar mais nenhum membro da família que pudesse governar após a morte de Aníbal, os bolonheses, sabendo da existência de um descendente dos Bentivoglio em Florença, até então considerado filho de um ferreiro, foram até essa cidade e lhe confiaram o governo da sua cidade, que foi governada por ele até que *messer* Giovanni atingisse a idade para governar.

Por essa razão, acredito que um príncipe deve dar pouca importância às conspirações quando o povo o quer bem; mas, quando o povo lhe é hostil e o odeia, ele deve temer tudo e todos. Os estados bem organizados e os príncipes sábios tomam todos os cuidados para não levar os homens poderosos ao desespero, para manter o povo satisfeito e contente, pois esses são os assuntos mais importantes para um príncipe.

Entre os reinos mais bem organizados e governados dos nossos tempos está a França. Nele existem várias boas instituições das quais dependem a liberdade e a segurança do rei. A primeira delas é o parlamento e a sua autoridade, pois aquele que fundou o reino, conhecendo a ambição dos poderosos e a sua insolência, julgou necessário freá-los e, por outro lado, conhecendo o ódio do povo, baseado no medo dos poderosos, desejou protegê-los; porém, não queria que isso fosse uma preocupação do rei. Portanto, para evitar a reprovação dos poderosos, da qual ele seria vítima se favorecesse o povo, e do povo, se favorecesse os poderosos, ele constituiu um terceiro juiz que fosse capaz de conter os poderosos e favorecer os cidadãos comuns sem que o rei fosse reprovado. Não seria possível ter um arranjo melhor ou mais prudente nem uma fonte de segurança melhor para o rei e o seu reino. Disso podemos tirar outra conclusão importante: que os príncipes devem atribuir a outros aquilo que pode gerar reprovação e manter para si apenas aquilo que resultará em graça. E, mais, eu acredito que o príncipe deve estimar os poderosos, mas não a ponto de se fazer odiado pelo povo.

Pode parecer, talvez, para aqueles que já estudaram as vidas e mortes de imperadores romanos, que eles seriam exemplos contrários à minha opinião, pois viveram de forma exemplar e demonstraram grandes virtudes, e mesmo assim perderam o império ou foram mortos por súditos que contra eles conspiraram. Para então responder a estas objeções, falarei das qualidades de alguns imperadores e mostrarei que as causas de sua ruína não foram diferentes daquelas dadas por mim. Ao mesmo tempo, falarei apenas daqueles fatos que são notáveis para quem estuda os acontecimentos daquela época.

Considero suficiente citar todos os imperadores que se sucederam no poder, desde Marco, o Filósofo, até Maximino: eles foram Marco e seu filho Cômodo, Pertínax, Juliano, Severo e seu filho Antonino Caracala, Macrino, Heliogábalo, Alexandre e Maximino.

É importante notar que, enquanto nos outros principados era necessário apenas ficar atento à ambição dos poderosos e à insolência do povo, os imperadores romanos tinham uma terceira dificuldade: aquela de terem de suportar a crueldade e a ambição dos seus soldados, algo tão complicado que resultou na ruína de muitos, pois era difícil satisfazer aos soldados e ao povo ao mesmo tempo. Pois o povo amava a paz e, por isso, estimava os príncipes sem grandes ambições. Já os soldados amavam o príncipe que gostava de guerras e que era insolente, cruel e rapace, características que queriam que ele exercesse sobre o povo, para que assim pudessem ganhar o dobro e dar assas à sua rapacidade e crueldade. E assim aconteceu que aqueles imperadores que, por natureza ou por educação, não tinham grande autoridade, em maioria, especialmente aqueles que chegavam em principados novos, reconhecendo a dificuldade de conviver com esse conflito de interesses entre soldados e povo, acabavam dando satisfação aos soldados e pouca importância para o fato de ferirem o povo. Esse comportamento era necessário, porque, como o príncipe não pode fazer que todos o amem, ele deve, em primeiro lugar, evitar ser odiado por todos e, quando isto não é possível, ele deve se empenhar para evitar o ódio dos mais poderosos. Por isso, aqueles imperadores que, por serem novos, precisavam de favores, aderiam mais facilmente aos soldados que ao povo, atitude que era boa ou ruim para eles conforme soubessem como manter a autoridade sobre eles.

Devido a essa razões, Marco (Aurélio), Pertínax e Alexandre, todos eles homens de vida modesta, amantes da justiça, inimigos da crueldade, humanos e benignos, tiveram, fora Marco, um final triste. Somente Marco viveu e morreu honrado, pois ele assumiu o império devido ao título hereditário e nada devia, nem aos soldados, nem ao povo; e, depois, sendo dotado de muitas virtudes que o faziam respeitado, manteve sempre as duas ordens nos seus devidos lugares enquanto viveu, não sendo nem odiado nem desprezado.

Mas Pertínax tornou-se imperador contra a vontade dos soldados que, acostumados a viver licenciosamente sob Cômodo, não puderam suportar a vida honesta a que o imperador desejava reduzi-los. Assim, dando razões para o odiar, e ainda somando o desprezo que tinham por ele por já ser velho, tomaram-lhe o poder logo no início de sua administração. E aqui devemos notar que o ódio se adquire tanto pelas boas como pelas más ações; então, como já disse antes, um príncipe que quer manter o seu estado é frequentemente obrigado a fazer o mal, pois, quando aquele de quem precisa para manter o poder – seja ele o povo, os soldados ou os poderosos – é corrompido, você precisa seguir aquilo que ele quer e, assim, as boas ações o prejudicarão.

Mas vamos agora falar de Alexandre, que era um homem de tanta bondade que, entre os outros elogios que lhe são feitos, está o fato de que, nos quatorze anos em que ele esteve no poder, ninguém foi executado sem que tivesse sido julgado. Contudo, sendo considerado efeminado e homem que se deixava governar pela mãe, tornou-se desprezado, o exército conspirou contra ele e ele foi assassinado.

Mudando agora para as figuras opostas, de Cômodo, Severo, Antonino Caracala e Maximino, você verá que eram todos cruéis e rapaces – homens que, para satisfazer aos seus soldados, não hesitaram em cometer todo o tipo de injúria que pudesse ser cometida contra o povo; todos, exceto Severo, tiveram triste fim. Mas Severo tinha tanto valor que, ao manter os soldados como seus amigos, mesmo com o povo oprimido, pôde sempre reinar com tranquilidade, pois as suas virtudes o tornavam tão admirável, na opinião dos soldados e do povo, que este último ficava pasmo e atemorizado, e os soldados, reverentes e satisfeitos. E, porque as ações deste homem, como um príncipe novo, foram grandes, desejo mostrar rapidamente como ele soube usar bem a ação da raposa e do leão, naturezas estas que, como disse anteriormente, precisam ser imitadas pelos príncipes.

Conhecendo a preguiça do imperador Juliano, Severo convenceu seu exército, do qual era capitão na Esclavônia, de que tinham que ir a Roma vingar a morte de Pertínax, que havia sido assassinado pelos soldados pretorianos; e, sob este pretexto, sem demonstrar que aspirava ao trono, ele conduziu o exército a Roma, chegando à Itália antes que fosse notada a sua partida. Ao chegar a Roma, o Senado, por temor, elegeu-o imperador e matou Juliano. A seguir, restavam a Severo duas dificuldades para conquistar todo o império: uma na Ásia, onde Pescênio Nigro, chefe dos exércitos asiáticos, se fizera aclamar imperador; a outra no Poente, onde Albino também aspirava ao império. Como ele acreditava que seria perigoso declarar-se hostil a ambos, decidiu atacar Nigro e enganar Albino. A Albino escreveu dizendo que, tendo sido eleito imperador pelo Senado, desejava dividir com ele aquela dignidade, enviou-lhe o título de César e, por deliberação do Senado, tornou-o seu colega. Albino acreditou no que Severo lhe disse. Mas, após Severo ter conquistado e assassinado Nigro e apaziguado os assuntos orientais, ele voltou a Roma e se queixou ao Senado de que Albino, dando pouco reconhecimento aos benefícios que ele lhe havia concedido, o tinha traído, fazendo um plano para matá-lo, e, devido à sua ingratidão, ele teria que puni-lo. Depois, foi ao seu encontro na França e tirou-lhe o governo e a vida. Aquele que, portanto, examinar cuidadosamente as ações desse homem, verá que ele era um leão valente e uma raposa astuta, que era temido e reverenciado por todos e não odiado pelo exército, e não precisamos ficar admirados com o fato de que ele, homem novo, tenha conseguido manter o império tão bem, pois a sua boa reputação sempre o protegeu do ódio que o povo poderia ter tido contra ele por causa da sua violência.

 Mas o seu filho, Antonino, era um homem eminente e possuía excelentes qualidades, que o tornavam admirável aos olhos do povo e aceito pelos soldados, pois era um caráter militar que suportava muito bem a fadiga, desprezava comidas delicadas e outros luxos, o que fazia que o exército o amasse. Contudo, sua ferocidade e crueldade eram tão grandes e excepcionais que, após inúmeros assassinatos, ele matou grande parte da população de Roma e toda a de Alexandria. Tornou-se odiado pelo mundo todo e temido por aqueles que o rodeavam, de tal forma que foi morto por um centurião em meio ao seu exército. E aqui se deve notar que mortes como essas, deliberadamente causadas por uma pessoa decidida e com coragem desesperada, não podem ser evitadas por príncipes, porque qualquer um que não teme a morte pode infligi-las. Mas um príncipe não precisa ter muito medo, pois pessoas assim são muito raras; ele deve somente se cuidar para não ferir gravemente aqueles que trabalham com ele ou ficam ao seu redor a serviço do estado. Antonino não tomou este cuidado, mas vilmente matou um irmão daquele centurião que também ameaçava diariamente, enquanto o mantinha como seu guarda-costas; essa acabou sendo uma resolução temerária, que provocou a ruína do imperador.

E agora vamos estudar Cômodo, para quem deveria ter sido muito fácil manter o império, pois, sendo filho de Marco, o havia sucedido e a ele bastava seguir os passos do pai para agradar ao seu povo e aos seus soldados. Mas, sendo de espírito cruel e brutal, ele passou a cativar os soldados e corrompê-los para poder usar sua maldade contra o povo. Por outro lado, não mantendo sua dignidade, descendo frequentemente às arenas para lutar contra os gladiadores, fazendo outras coisas vis e pouco dignas da majestade imperial, tornou-se desprezível para os soldados. E, sendo odiado por uns e desprezado por outros, conspiraram contra ele e foi morto.

Resta-nos discutir o caráter de Maximino. Ele era muito belicoso, e os exércitos, estando horrorizados com a moleza de Alexandre, de quem já falei, o mataram e colocaram Maximino no trono. Mas ele não manteve o poder por muito tempo, porque duas coisas o tornaram odiado e desprezado: uma, a sua origem humilde, pois já havia cuidado de ovelhas na Trácia (fato muito conhecido por todos e que causava grande indignação); a outra, o fato de, ao ser eleito, ter demorado a ir a Roma tomar posse do trono imperial. Maximino também havia ficado com a reputação de ser extremamente cruel, através dos seus prefeitos, em Roma e em muitos outros lugares do império, onde havia praticado muitas crueldades, de modo que o mundo inteiro foi tomado por raiva e medo dele, pelo seu caráter maldoso e sua ferocidade. Primeiro, a África se rebelou, depois o Senado, com todo o povo de Roma, e toda a Itália conspiraram contra ele, inclusive o seu próprio exército. Este, lutando em Aquileia e encontrando dificuldade para conquistá-la, ficou horrorizado com as suas crueldades e, temendo-o menos quando viram que tantos estavam contra ele, o assassinaram.

Não quero falar de Heliogábalo, Macrino ou Juliano, os quais, por serem extremamente desprezíveis, logo foram mortos; mas concluirei este assunto dizendo que os príncipes de hoje têm dificuldade de satisfazer aos seus soldados até certo ponto, pois, apesar de lhes deverem alguma consideração, o que logo pode ser feito, nenhum desses príncipes tem um exército que seja veterano no governo e na administração das províncias, como foram os exércitos do Império Romano. E, como naquela época era mais necessário dar satisfação aos soldados do que ao povo, hoje é mais importante para todos os príncipes, exceto o Turco e o Sultão, satisfazer o povo e não os soldados, pois o povo tem mais poder.

Eu fiz uma exceção ao Turco, pois ele sempre tem à sua volta doze mil infantes e quinze mil soldados de cavalaria, dos quais dependem a segurança e a força do seu reino, e é necessário que ele coloque de lado toda a sua consideração pelo povo e conserve os soldados como seus amigos. O reino do Sultão é parecido, e estando inteiramente nas mãos dos soldados, segue-se que não deve se preocupar com o povo, mas sim em manter os soldados como amigos. Mas você deve notar que o estado do Sultão é diferente de todos os outros principados, por razões semelhantes ao do pontificado cristão, que não pode ser considerado nem um principado hereditário, nem um principado recém-formado, pois os filhos do velho príncipe não são herdeiros, mas eleitos para o posto pelos que têm autoridade, e os filhos se tornam apenas nobreza. E, sendo esse um costume antigo, ele não pode ser chamado de principado novo, pois não existe nele nenhuma das dificuldades encontradas nos principados novos, posto que, embora o príncipe seja novo, a Constituição do estado é velha e é ordenada a recebê-lo como se fosse seu senhor hereditário.

Retornando ao assunto que estamos analisando, digo que todo aquele que estudar o que falei notará que o ódio ou o desprezo foram fatais aos imperadores citados e também será reconhecido que, procedendo uma parte deles de um modo e a outra parte de modo contrário, em qualquer um desses modos, somente um teve fim feliz, enquanto todos os outros terminaram arruinados. Teria sido inútil e perigoso para Pertínax e Alexandre, por serem príncipes novos, imitar Marco, que foi herdeiro do principado. Da mesma forma, teria sido extremamente destrutivo para Caracala, Cômodo e Maximino imitar Severo, por não possuírem virtude suficiente para poder seguir seus passos. Portanto, um príncipe novo, num principado novo, não pode imitar as ações de Marco, tampouco é necessário seguir as de Severo, mas ele deve tomar de Severo aquelas partes que forem necessárias para fundar seu estado, e de Marco aquelas que forem corretas e gloriosas para conservar um governo que já esteja estável e firme.

XX. SERÃO VANTAJOSAS OU PREJUDICIAIS AS FORTALEZAS E MUITAS OUTRAS COISAS A QUE OS PRÍNCIPES RECORREM?

1. Para manter o estado com segurança, alguns príncipes desarmaram os seus súditos, outros mantiveram divididas as terras dos súditos, outros nutriram inimizades contra si mesmos, outros se dedicaram a conquistar o apoio daqueles em quem não confiavam no início dos seus governos; alguns construíram fortalezas, outros as arruinaram e destruíram. E, apesar de não ser possível julgar todas essas coisas sem conhecer as particularidades dos estados onde alguma dessas decisões deve ser tomada, mesmo assim falarei de maneira genérica, como o assunto permite.

2. Jamais existiu um príncipe novo que desarmou os seus súditos; pelo contrário, quando ele os encontrou desarmados, sempre os armou. Isto porque, armando-os, essas armas passam a ser suas, aqueles homens que tinham sua desconfiança se tornam leais, e aqueles que eram fiéis continuam assim, e os seus súditos se tornam seus partidários. E, mesmo sem ser possível armar todos os

súditos, quando aqueles que você arma são beneficiados, os outros podem ser tratados mais seguramente, e essa diferença no tratamento, que eles percebem, torna os primeiros seus dependentes e os outros, achando ser necessário que aqueles que estão sujeitos a mais perigo e maiores obrigações devem receber mais recompensas, desculpam você. Mas, quando você os desarma, imediatamente os ofende, por demonstrar que não confia neles, ou por covardia ou por querer lealdade, e ambas essas opiniões geram ódio contra você. E como você não pode permanecer desarmado, segue-se que se volta à milícia mercenária, que é como já falei; mesmo que forem bons, eles não seriam suficientes para defendê-lo de inimigos poderosos e de súditos desconfiados. Porém, como disse, um príncipe novo em um principado novo sempre distribuiu armas. A história está repleta de exemplos. Mas, quando um príncipe conquista um novo estado, e o agrega como uma província ao seu antigo estado, então é necessário desarmar o povo do local conquistado, salvo aqueles que foram seus cúmplices na conquista; e estes, com o tempo e dada uma boa oportunidade, devem ser amolecidos e feminizados, e os assuntos devem ser manejados de tal forma que todos os homens armados em seu território devem ser os seus próprios soldados, daqueles que, no estado antigo, viviam em torno de você.

3. Os nossos antepassados, e aqueles que eram considerados sábios, costumavam dizer que era necessário manter Pistoia através da divisão do povo em facções e Pisa através das fortalezas, e com essa ideia eles mantinham discórdias em algumas das cidades conquistadas, para assim conseguir manter a posse delas com mais facilidade. Isso pode ter sido suficiente naquela época, quando a Itália apresentava certo equilíbrio, mas acho que não pode ser seguido como exemplo para os dias de hoje, pois não acredito que as facções possam ser de alguma utilidade, ao contrário, parece-me certo que, quando o inimigo chega até você e encontra as suas cidades divididas, você é derrotado rapidamente, pois a parte mais fraca sempre ajudará as forças externas e a outra não resistirá. Acredito que os venezianos, levados pelas razões que citei antes, incentivavam as facções guelfa e gibelina nas cidades que mantinham, e mesmo sem nunca deixar que elas chegassem ao derramamento de sangue, eles alimentavam essas divergências entre elas para que, ocupados com essas disputas, os cidadãos não se unissem contra eles. O que, como vimos, não aconteceu conforme eles imaginavam, pois, após a derrota em Vailá, uma das partes tomou coragem e conquistou todo o estado. Tais atitudes revelam fraquezas do príncipe, pois facções nunca serão permitidas em um principado poderoso; esses métodos para ajudar alguém a lidar com os

súditos com mais facilidade só são úteis em tempos de paz, pois, quando a guerra vem, essa política se mostra falha.

4. Sem dúvida alguma, os príncipes se tornam grandes quando superam as dificuldades e os obstáculos com que são confrontados; e portanto a fortuna, principalmente quando deseja tornar grande um príncipe novo, que tem mais necessidade de adquirir reputação do que um príncipe hereditário, faz que inimigos surjam e façam planos contra eles, para que assim tenham a oportunidade de superá-los e por meio deles subir mais alto pela escada que os inimigos lhe oferecem. Por essa razão, muitos acreditam que um príncipe sábio, dada a oportunidade, deve procurar incentivar alguma inimizade para que, tendo-a eliminado, possa melhorar ainda mais a sua reputação.

5. Os príncipes, em especial os novos, têm encontrado mais lealdade e ajuda nos homens em quem no início de seu governo não confiavam do que naqueles que no início eram seus confidentes. Pandolfo Petrucci, príncipe de Siena, governava o seu estado mais por meio daqueles nos quais não confiava do que pelos outros. Mas deste assunto não é possível falar de forma generalizada, pois varia muito de caso para caso. Direi apenas isto: que aqueles homens que no início de um principado haviam sido hostis, se são de tal forma que precisam de ajuda para terem apoio, esses sempre

poderão ser conquistados com grande facilidade, e assim o servirão com lealdade, pois sabem que é necessário que eliminem, por meio de ações, a má impressão que havia se formado deles. Assim, o príncipe sempre extrai deles maior utilidade do que daqueles que, servindo-o com excessiva segurança, descuidam de seus interesses. E, já que o assunto permite, não devo deixar de avisar os príncipes que, por meio de favores secretos, conquistaram um novo estado, que eles devem analisar bem quais foram as razões que induziram aqueles indivíduos a favorecê-los e, se não for devido à afeição natural em relação a eles, mas somente por estarem insatisfeitos com o estado anterior, então eles só os manterá como amigos com muito trabalho e dificuldade, pois será impossível satisfazê-los. E, considerando bem todas as razões para isso que podemos extrair dos exemplos que tiramos dos dias de hoje e do passado, veremos que é mais fácil o príncipe tornar amigos aqueles homens que se contentavam com o regime anterior e são, portanto, seus inimigos, do que aqueles que, por estarem descontentes com o regime anterior, foram favoráveis a ele e o ajudaram na conquista.

6. Tem sido costume dos príncipes, para poder manter o seu estado com mais segurança, construir fortalezas que sirvam como a brida e o freio àqueles que desejam enfrentá-los e como um local de refúgio contra um primeiro ataque.

Eu elogio esse sistema, pois já é usado há muito tempo. Mesmo assim, *messer* Nicolau Vitelli, nos tempos atuais, já destruiu duas fortalezas na cidade de Castelo para que assim pudesse conservar esse estado. Guido Ubaldo, duque de Urbino, tendo retornado ao seu domínio, de que havia sido expulso por César Bórgia, destruiu até os alicerces todas as fortalezas daquela província, por entender que sem elas seria mais difícil perder novamente seu estado. Os Bentivoglio, ao retornar a Bolonha, chegaram a conclusão parecida. Fortalezas, portanto, são úteis ou não, dependendo das circunstâncias, se lhe fazem bem de uma forma, prejudicam-no de outra. E essa questão pode ser analisada da seguinte forma: o príncipe que tiver mais a temer do seu povo do que dos estrangeiros deverá construir fortalezas, mas aquele que tiver mais a temer dos estrangeiros do que do seu povo deverá deixá-las. O castelo de Milão, construído por Francisco Sforza, causou e causará mais problemas para a casa dos Sforza do que qualquer outra desordem naquele estado. Por essa razão, a melhor fortaleza que pode existir é não ser odiado pelo povo, porque, mesmo que você tenha fortificações, elas não o salvarão se o povo o odiar, pois nunca faltarão estrangeiros para ajudar o povo que está contra você. Nos nossos tempos, vê-se que as fortalezas não têm sido proveitosas a príncipe algum, senão à condessa de Forli, quando o conde Jerônimo, seu esposo, foi morto; pois com isso ela pôde suportar o ataque popular, aguardar a ajuda de Milão e assim recuperar o seu estado. E as circunstâncias eram tais que os estrangeiros não puderam ajudar o povo. Mas as fortalezas foram de pouca ajuda para ela mais tarde, quando César Bórgia a atacou e o povo, seu inimigo, aliou-se ao estrangeiro. Portanto, teria sido mais seguro para ela, nos dois momentos, se não tivesse sido odiada pelo povo, em vez de possuir fortalezas. Consideradas assim todas essas questões, elogiarei aquele que construir fortalezas e também aquele que não as construir, e censurarei aquele que, dependendo demais das fortificações, venha a subestimar o fato de ser odiado pelo povo.

XXI | COMO UM PRÍNCIPE DEVE SE PORTAR PARA GANHAR FAMA

Nada torna um príncipe mais estimado do que obter grandes conquistas e dar bom exemplo. Temos, na nossa época, Fernando de Aragão, atual rei da Espanha. Ele pode ser praticamente chamado de um príncipe novo, porque de rei insignificante tornou-se, por fama e glória, o primeiro rei dos cristãos; e, se examinarmos as suas ações, veremos que todas foram grandes e algumas extraordinárias. No começo de seu reinado, assaltou Granada, e este empreendimento foi a pedra fundamental dos seus domínios. No início, ele fez isso de forma discreta, sem medo de ser impedido, pois manteve as mentes dos barões de Castela ocupadas com a guerra e, assim, não pensavam em mudanças e não perceberam que, através dessa conquista, ele estava adquirindo mais poder e autoridade sobre eles. Com o dinheiro da Igreja e do povo, ele pôde manter as suas tropas e, através dessa longa guerra, pôde estabelecer a organização de sua milícia que, depois, o fez se destacar. Além disso, sempre usando a religião como desculpa para poder montar esquemas maiores, ele se dedicou com uma piedosa crueldade a expulsar e livrar o seu reino dos mouros; não poderia existir um exemplo mais admirável, nem mais raro.

Com essa mesma desculpa, ele atacou a África, a Itália e, finalmente, assaltou a França; e assim as suas conquistas e os seus desejos sempre foram grandes e mantiveram a mente do seu povo em suspense e admiração, e desse modo ele o manteve ocupado. Suas ações nasceram de tal forma umas das outras que as pessoas nunca tiveram tempo de trabalhar continuamente contra ele.

Novamente, ajuda muito se um príncipe dá exemplos raros em assuntos internos, semelhantes àqueles que são narrados por *messer* Barnabó de Milão, que, a qualquer oportunidade que surgisse de alguém ter realizado alguma coisa extraordinária, boa ou ruim, na vida civil, encontrava alguma forma de recompensá-lo ou puni-lo que fosse bastante comentada. E um príncipe deve, sobre todas as coisas, sempre se empenhar em todas as atividades, para ficar com a reputação de ser um homem grande e notável.

Um príncipe também é respeitado quando ele é um verdadeiro amigo ou um verdadeiro inimigo; isto quer dizer que, quando, sem reservas, ele se declara a favor de um e contra outro. Essa atitude é sempre mais vantajosa do que ficar neutro, pois, se dois poderosos vizinhos seus entram em guerra, eles são de tal forma que, caso um deles conquiste o outro, você tem que temê-lo ou não. Em qualquer destes dois casos, sempre será mais vantajoso para você se declarar a favor de um ou de outro e combater uma guerra digna, porque, no primeiro caso, se você não se definir, invariavelmente será presa fácil do vencedor, para o prazer e a satisfação do que foi conquistado, e não terá nenhuma razão ou coisa alguma para protegê-lo ou defendê-lo. Porque aquele que conquista não quer amigos duvidosos, que não o ajudarão nas adversidades, e aquele que perde não lhe dá abrigo, porque você não quis, abertamente, com a arma em punho, lutar com ele.

Antíoco invadiu a Grécia a chamado dos etólios para expulsar os romanos. Ele enviou embaixadores aos aqueus, que eram amigos dos romanos, para forçá-los a permanecer neutros, enquanto, do outro lado, os romanos tentavam convencê-los a lutar ao seu lado. Esta questão veio a ser deliberada no conselho dos aqueus, onde o legado de Antíoco os induzia a permanecer neutros. A isso o representante romano respondeu: *"A respeito daquilo que foi dito, de que é melhor e mais vantajoso para o seu estado não interferir na nossa guerra, nada pode ser mais equivocado; pois, se não interferirem, vocês permanecerão, sem favor ou consideração, a recompensa do conquistador"*. E assim sempre acontecerá que aquele que não é seu amigo pedirá que você permaneça neutro, enquanto aquele que é seu amigo pedirá que você se defina com suas armas. E príncipes irresolutos, para evitar perigos imediatos, em geral seguem o caminho da neutralidade e são arruinados. Mas, quando um príncipe se declara a favor de uma das partes, se aquele a quem ele se une vence, mesmo que o vencedor venha a ser muito poderoso e você fique à mercê dele, ele está em dívida com você, e uma ligação de amizade está estabelecida, e os homens nunca são tão descarados a ponto de oprimi-lo e assim se tornar um monumento de ingratidão. As vitórias, além de tudo, nunca são tão completas que o vencedor não deva demonstrar alguma consideração, principalmente para com a justiça. Mas, se aquele a quem você se aliou perder, poderá ser amparado por ele e, enquanto puder, ele poderá ajudá-lo, e vocês se tornarão companheiros em uma situação que poderá surgir novamente.

No segundo caso, quando aqueles que lutam são de caráter que você não precisa ficar ansioso sobre quem será o vencedor, é ainda mais prudente que se alie a um dos lados, pois você ajuda na ruína de um ao ajudar o outro, que, se tivesse sido sábio, teria salvado você, e ao conquistar, o que será impossível conseguir sem a sua ajuda, ele permanecerá em suas mãos. E aqui se deve notar que um príncipe deve ter cuidado para nunca se aliar a alguém que é mais poderoso do que ele para atacar os outros, a não ser por necessidade, como disse antes, porque, se ele conseguir conquistar, você estará à mercê dele, e os príncipes devem evitar ao máximo ficar à mercê de qualquer pessoa. Os venezianos aliaram-se à França contra o duque de Milão, e esta aliança, que causou a ruína deles, poderia ter sido evitada. Mas, quando não pode ser evitada, como aconteceu com os florentinos quando o papa e a Espanha levaram seus exércitos para atacar a Lombardia, então, neste caso, pelas razões já citadas, o príncipe deverá escolher um dos lados. Nunca deixe qualquer governo imaginar que ele pode escolher um caminho completamente seguro; ao contrário, deixe-o pensar que enfrentará um caminho bem duvidoso, pois é frequente que, ao tentar evitar um problema, se esbarre em outro, mas a prudência consiste em saber distinguir a natureza desses problemas e, assim, escolher o menos ruim.

Um príncipe deve também se mostrar um amante das virtudes, honrando as habilidades em todas as artes. Ao mesmo tempo, deve incentivar os seus cidadãos a praticar suas virtudes pacificamente, sejam elas atividades no comércio, na agricultura ou em qualquer outra ocupação, de forma que o cidadão não tema melhorar as suas posses por receio de que elas lhe sejam tomadas, ou tenha receio de aumentar as suas vendas por temer os impostos, mas um príncipe deve oferecer recompensas a quem quiser fazer essas coisas e tiver qualquer intenção de realizar algo que honrará a sua cidade ou o seu estado.

Além disso, ele deve entreter o seu povo com festivais e espetáculos nas épocas convenientes do ano, e, como todas as cidades estão divididas em grêmios ou grupos sociais, deve cuidar bem desses grêmios e desses grupos e se associar a eles de vez em quando, mostrando-se um exemplo de cortesia e liberalidade, mas, mesmo assim, sempre mantendo a majestade da sua posição, pois ele não deve nunca deixar faltar nada.

XXII SOBRE OS SECRETÁRIOS DOS PRÍNCIPES

A escolha dos servos de um príncipe não é de pouca importância, e as escolhas são boas ou não, dependendo da prudência dele. A primeira opinião que se tem de um príncipe, e do seu entendimento, é feita observando aqueles à sua volta, e, quando estes são capazes e fiéis, ele sempre pode ser considerado sábio, pois sabe reconhecer os competentes e mantê-los fiéis. Mas, quando não são assim, não se pode ter uma boa opinião do príncipe, pois o maior erro que ele cometeu foi escolhê-los.

Não houve ninguém que, conhecendo *messer* Antônio de Venafro como servo de Pandolfo Petrucci, príncipe de Siena, deixasse de julgar este senhor como muito inteligente pelo fato de ter Venafro como seu servo. Porque existem três espécies de inteligências: uma que entende as coisas por si, outra que discerne o que os outros entendem e a terceira que não entende nem por si nem por intermédio dos outros. A primeira é verdadeiramente excelente, a segunda, boa e a terceira, inútil. Portanto, procede que, se Pandolfo não se classificava no primeiro tipo, estava necessariamente no segundo; porque, toda vez que alguém tem a capacidade de distinguir o bem e o mal que uma pessoa fala ou faz, mesmo que não tenha tido a iniciativa sozinho, pode discernir o bom e o ruim no seu servo e, assim, pode elogiá-lo ou corrigi-lo, de modo que o servo não pode esperar enganá-lo e desta forma permanece honesto.

Mas, para que um príncipe possa formar uma opinião sobre o seu servo, há um teste que nunca falha. Quando você percebe que o servo pensa mais em si do que em você e que em todas as ações procura o interesse próprio, você pode concluir que esse jamais será um bom servo e nunca poderá confiar nele. Pois aquele que tem o estado de outra pessoa em suas mãos não deve pensar nunca em si, mas sempre no príncipe, e nunca deve prestar atenção em coisas que não sejam de interesse do príncipe.

Por outro lado, para manter o seu servo honesto, o príncipe deve pensar nele, honrando-o, enriquecendo-o, fazendo gentilezas, dividindo com ele as honrarias e os cuidados, e ao mesmo tempo deve deixá-lo ver que ele não pode ficar sem sua proteção, para que as muitas honras não o façam desejar mais honras, as muitas riquezas não o façam desejar maiores riquezas e os muitos cuidados o façam temer as mudanças. Quando, pois, os servos e os príncipes, com relação a eles, estão assim preparados, podem confiar um no outro, mas, quando não for assim, o fim sempre será desastroso ou para um, ou para o outro.

XXIII COMO BAJULADORES DEVEM SER EVITADOS

Não quero deixar de fora uma parte importante deste assunto, pois é um perigo do qual os príncipes escapam com muita dificuldade se não são extremamente cuidadosos e prudentes. Refiro-me aos bajuladores, dos quais as cortes estão repletas, dado que os homens são tão complacentes nos seus afazeres e de tal modo iludidos por eles que se defendem com dificuldade dessa peste e, querendo se defender, correm o perigo de ser menosprezados. Porque não há outra forma de se proteger da bajulação do que fazer que os homens entendam que a verdade não o ofende, mas, quando todos podem lhe dizer a verdade, o respeito por você aumenta.

Portanto, um príncipe sábio deve proceder de uma terceira maneira: escolhendo em seu estado os homens sábios e dando-lhes apenas a liberdade de lhe falar a verdade, e mesmo assim apenas daquilo que pergunte, e nada mais. Mas ele deve consultá-los sobre todos os assuntos e ouvir as suas opiniões e apenas depois tirar as suas conclusões. Com esses conselheiros, em separado e também coletivamente, ele deve se portar de tal forma que todos eles saibam que, quanto mais livremente falarem, mais serão aceitos. Fora esses, ele não deve dar ouvidos a ninguém, mas seguir a deliberação adotada e ser obstinado nas suas decisões. Aquele que procede de outra forma ou é derrubado pelos bajuladores, ou muda tanto e tão frequentemente de opinião que acaba sendo menosprezado.

Para este assunto, gostaria de usar um exemplo moderno. O padre Lucas, homem do atual imperador Maximiliano, falando de Sua Majestade, disse: "Ele não se aconselhava com ninguém; porém, nunca fazia nada a seu modo." Disso resultava que ele seguia uma prática oposta àquela apresentada antes. Pois o imperador é homem discreto, não comunica a ninguém os seus desígnios, nem ouve opiniões sobre eles. Mas, ao serem postos em prática, começam a ser conhecidos e descobertos, e começam a ser contrariados por aqueles que o cercam, e ele, como é homem de opinião fraca, os desfaz. E assim resulta que as coisas que ele faz num dia são desfeitas no dia seguinte, e ninguém nunca entende o que ele quer ou pretende, e ninguém pode se basear em suas deliberações.

Um príncipe, portanto, deve sempre se aconselhar, mas quando ele quer, e não quando os outros desejam. Ele deve, pelo contrário, deixar claro a todos que devem dar conselhos somente quando ele pedir, mas deve estar sempre fazendo perguntas e também ser um ouvinte paciente quando as pessoas respondem às suas perguntas. E ainda, ao saber que alguém, sobre qualquer assunto, não lhe falou a verdade, deve demonstrar a sua raiva.

E se há pessoas que pensam que um príncipe que aparenta ser sábio não o é pela sua natureza, mas pelos bons conselheiros que o rodeiam, sem dúvida alguma estão enganadas, pois esta é uma regra que nunca falha: um príncipe que não é sábio jamais segue bons conselhos, a menos que por acaso tenha depositado toda a sua confiança em um homem que é muito prudente. Neste caso, ele poderia ser bem governado, mas não seria por muito tempo, pois esse homem em pouco tempo lhe tomaria o estado.

Mas, se um príncipe sem experiência seguir os conselhos de mais de uma pessoa, ele nunca terá os conselhos uniformes e não saberá como harmonizá-los. Cada conselheiro pensará nos seus próprios interesses, e o príncipe não saberá como controlá-los ou saber o que realmente estão pensando. E não é possível encontrar conselheiros diferentes, pois os homens sempre serão falsos, a não ser que você os mantenha honestos à força. Consequentemente, conclui-se que os bons conselhos, venham de onde vierem, devem nascer da sabedoria do príncipe, e não a sabedoria do príncipe resultar dos bons conselhos.

XXIV. POR QUE OS PRÍNCIPES DA ITÁLIA PERDERAM SEUS ESTADOS

As sugestões que já foram dadas, quando observadas cuidadosamente, permitirão que um príncipe novo pareça bem estabelecido e logo o tornarão mais seguro e mais firme no estado do que se fosse um príncipe antigo. Porque as ações de um príncipe novo são observadas mais de perto do que as ações de um príncipe hereditário, e quando ele é reconhecido como capaz atrai mais homens, e estes estabelecem laços mais fortes do que pela tradição do sangue. Porque os homens são atraídos mais pelas coisas presentes do que pelas passadas e, quando estão bem no presente, apreciam isso e não procuram mais nada; também defenderão um príncipe se ele não lhes faltar em outras coisas. Assim, terá a dupla glória de ter estabelecido um principado novo e de tê-lo adornado e fortalecido com boas leis, boas armas, bons aliados e um bom exemplo; por outro lado, será uma dupla desgraça para aquele que tiver nascido príncipe perder o estado por sua falta de sabedoria.

E, se considerarmos aqueles senhores que, na Itália, perderam seus estados nos nossos tempos, como o rei de Nápoles, o duque de Milão e outros, acharemos neles primeiro um defeito em comum quanto às armas, pelas razões que já foram expostas; depois, veremos que alguns deles ou tiveram a inimizade do povo, ou, tendo o povo por amigo, não souberam se garantir contra os poderosos. Sem esses defeitos, estados que têm força suficiente para manter um exército em campo não podem ser perdidos.

Filipe da Macedônia, não o pai de Alexandre, o Grande, mas aquele que foi derrotado por Tito Quinto, não tinha muito território, comparado à grandeza daquele dos romanos ou da Grécia, que o assaltaram; porém, sendo um homem de espírito militar, que sabia atrair o povo e se garantir contra os poderosos, sustentou por muitos anos a guerra contra os seus inimigos e se, afinal, perdeu o domínio de algumas cidades, mesmo assim não perdeu seu reino.

Portanto, não deixe que nossos príncipes culpem a sua falta de sorte para justificar a perda de seus principados após estarem em sua posse por muitos anos, mas sim a própria preguiça, pois em tempos tranquilos nunca achavam que algo poderia mudar (é um defeito comum dos homens, na bonança, não se preocupar com a tempestade), e depois, quando chegaram os tempos adversos, preocuparam-se em fugir e não em se defender, e esperaram que os súditos, cansados da insolência dos conquistadores, os chamariam de volta. Esse comportamento é bom quando os outros falham, mas é muito ruim ter negligenciado todos os outros remédios por esse, pois você não deixará de cair apenas por acreditar que encontrará quem o levante. Isso, novamente, não acontece, ou, se acontecer, não será para a sua segurança, dado que a defesa se torna vil se não depende de você. As defesas somente são confiáveis, certas e duradouras quando dependem de você e da sua virtude.

XXV – SOBRE AS INFLUÊNCIAS DA SORTE NA VIDA E COMO LIDAR COM ELA

Sei bem que muitos homens já tiveram ou ainda têm a opinião de que a vida é governada pela sorte e por Deus, de forma que os homens, com sua sabedoria, não podem modificar o andar das coisas nem ser ajudados por outros, e por isso eles nos fariam acreditar que não é necessário insistir muito nas coisas, mas deixar que a sorte os governe. Esta opinião tornou-se mais aceita nos nossos tempos pela grande mudança que vimos nas coisas e que ainda podem ser vistas, todos os dias, que não dependem de nenhuma ação humana. Pensando nisso, algumas vezes acabo concordando até certo ponto com eles. Mesmo assim, para que o nosso livre arbítrio não seja extinto, digo que pode ser verdade que a sorte é o árbitro de metade das nossas ações, mas ainda podemos governar a outra metade, ou talvez um pouco menos.

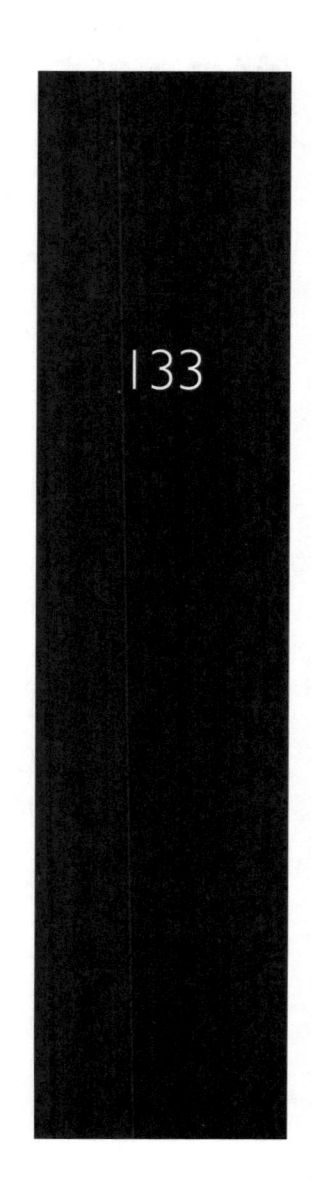

Eu a comparo com a um desses rios torrenciais que, quando enchem e transbordam, alagam as planícies, derrubando as árvores e os edifícios, carregando a terra de um lugar para outro; tudo sai voando, tudo cede à sua violência, sem poder se opor a ele. E, mesmo assim, apesar de a sua natureza ser essa, isso não impede que os homens, quando o tempo está calmo, tomem providências, com defesas e diques, de modo que, enchendo mais uma vez, as águas corram por um canal, e a sua força não seja mais nem tão desenfreada nem tão perigosa. Assim acontece com a sorte, que demonstra o seu poder quando a virtude não foi usada para se preparar para resistir a ela, e assim ela volta seu ímpeto na direção de onde sabe não existirem barreiras e defesas para contê-la.

E, se você considerar a Itália, que é o berço dessas mudanças e é aquela que lhes deu impulso, verá que é um país aberto, sem barreiras e sem defesa alguma. Pois, se tivesse sido defendida corretamente, como são a Alemanha, a Espanha e a França, essa invasão não teria resultado nas grandes mudanças que resultou, ou não teria ocorrido. E com isso acredito ter dito o suficiente sobre a resistência à sorte em geral.

Mas, restringindo-me ao mais específico, digo que um príncipe pode parecer feliz hoje e arruinado amanhã sem que tenha mudado sua natureza ou sua personalidade. Isso, acredito, surge primeiro das razões que já expus longamente, isto é, que o príncipe que se apoia totalmente na sorte está arruinado quando a sua sorte muda. Acredito também que aquele que direciona as suas ações de acordo com os tempos terá sucesso, enquanto aquele cujas ações não estão de acordo com o tempo não obterá sucesso. Pois os homens são vistos fazendo coisas que os conduzem ao fim que cada um tem por objetivo, isto é, glórias e riquezas, e chegam lá de diversas formas: um com cautela, o outro com ímpeto; um com violência, o outro com habilidade; um com paciência, e o outro com seu oposto; e cada um consegue chegar ao seu objetivo por essas diversas maneiras.

Também é possível ver, em dois homens cautelosos, um alcançar o seu objetivo e o outro não, e, da mesma maneira, dois homens que agem de forma diferente podem ser igualmente bem-sucedidos, um sendo cauteloso e o outro impetuoso. Isso resulta apenas do fato de adaptarem ou não os seus métodos ao espírito do momento. Isso segue daquilo que eu disse: que dois homens agindo de formas diferentes podem alcançar o mesmo efeito, e dois homens que agem trabalhando de forma semelhante, um pode alcançar o seu objetivo e o outro não.

Mudanças nas riquezas das pessoas também resultam disso, pois, se alguém se orienta com cautela e paciência, e os tempos e as situações se apresentam de modo que a sua administração seja boa, alcança a sua fortuna; mas, se os tempos e as circunstâncias mudam, está arruinado se não mudar seu modo de agir. Mas é difícil encontrar um homem que seja prudente o suficiente para saber como se acomodar às mudanças, porque ele não pode se desviar daquilo a que a natureza o inclina, e também porque, tendo sempre prosperado seguindo por um caminho, é difícil persuadi-lo a abandonar esse caminho. Assim, portanto, o homem cauteloso, quando é tempo de se tornar aventureiro, não sabe como fazer isso e cai em ruína, mas, se tivesse mudado a sua conduta com a mudança dos tempos, a sua fortuna não se modificaria.

O papa Júlio II trabalhava impetuosamente em tudo o que fazia, e os tempos e as circunstâncias conformavam-se tão bem com seu modo de agir que ele quase sempre obteve sucesso. Considere a sua primeira campanha contra Bolonha, sendo ainda vivo *messer* Giovanni Bentivoglio.

Os venezianos não concordavam com ela, nem o rei da Espanha, e ele ainda discutia o assunto com o rei da França. Mesmo assim, ele deu início pessoalmente àquela expedição com a sua costumeira ferocidade e energia, atitude que fez a Espanha e os venezianos ficarem irresolutos e passivos, os venezianos por medo e os espanhóis pelo desejo de recuperar todo o reino de Nápoles; por outro lado ele arrastou consigo o rei da França, porque este rei, tendo observado o movimento e desejando tornar o papa seu amigo para humilhar os venezianos, julgou impossível negar-lhe soldados sem ofendê-lo diretamente. E portanto Júlio, com seu movimento impetuoso, conseguiu o que nenhum outro pontífice com simples sabedoria humana poderia ter feito, pois, se tivesse esperado em Roma até poder partir, com todos os planos estabelecidos e tudo arranjado, como qualquer outro papa teria feito, ele nunca teria sido bem-sucedido. Porque o rei da França teria apresentado mil desculpas para não ir e os outros lhe teriam levantado mil receios.

Não falarei de suas outras ações, já que foram todas semelhantes e todas foram um sucesso, sendo que a brevidade da sua vida não o deixou experimentar o contrário. Mas, se circunstâncias tivessem surgido que o obrigassem a agir com cautela, teria sido a sua ruína, pois ele jamais teria se desviado daquele modo de agir a que a natureza o inclinava.

Concluo, portanto, que, como a sorte é inconstante e os homens permanecem obstinados nos seus modos de agir, desde que os dois estejam de acordo, os homens obterão sucesso, mas serão arruinados quando a sorte e o modo de agir não estiverem mais de acordo. Da minha parte, considero que é melhor ser impetuoso do que cauteloso, porque a sorte é mulher e, se quiser dominá-la, é necessário nela bater e contrariá-la. E já foi visto que ela se deixa dominar pelos impetuosos, e não por aqueles que procedem mais friamente. Ela é, portanto, sempre, como uma mulher, amante dos homens jovens, porque são menos cautelosos, mais violentos e a dominam com maior audácia.

XXVI | UMA EXORTAÇÃO PARA LIBERTAR A ITÁLIA DAS MÃOS DOS BÁRBAROS

Tendo considerado cuidadosamente este assunto, e pensando comigo mesmo se o momento atual é uma boa hora para termos um novo príncipe e se há elementos que dariam oportunidade a um príncipe sábio e virtuoso para introduzir uma nova ordem nas coisas, que o honraria e faria bem ao povo deste país, parece-me concorrerem tantas circunstâncias favoráveis a um novo príncipe que não sei de uma época melhor para isso do que o presente momento.

E se, como eu já disse, para conhecer a virtude de Moisés foi necessário que o povo de Israel fosse escravizado; para conhecer a grandeza do espírito de Ciro, que os persas fossem oprimidos pelos medas; e para conhecer a capacidade de Teseu, que os atenienses estivessem dispersos; também no presente, para descobrirmos a virtude de um espírito italiano, foi necessário que a Itália se reduzisse ao ponto em que se encontra no momento, que ela fosse mais escravizada do que os hebreus, mais oprimida do que os persas, mais dispersa do que os atenienses, sem chefe, sem ordem, surrada, espoliada, lacerada, invadida, e que tivesse suportado todo tipo de devastação.

Apesar de recentemente ter aparecido um certo brilho em um certo príncipe, que nos fez acreditar que ele tivesse sido ordenado por Deus para nossa redenção, contudo foi visto depois, no apogeu de sua carreira, que ele foi abandonado pela sorte. De modo que, abandonada como se sem vida, a Itália espera por aquele que curará as suas feridas e colocará um fim aos saques da Lombardia, às fraudes e aos impostos no reino e na Toscana, e a limpar aquelas feridas que estão há muito tempo infeccionadas. Vê-se como ela implora a Deus para lhe enviar alguém que a livre dessas crueldades e insolências bárbaras. Vê-se ainda que ela está pronta e disposta a seguir uma bandeira, desde que haja quem a empunhe.

Nem se vê no presente momento alguém em quem ela possa depositar as suas esperanças, a não ser na sua ilustre casa,9 com a sua virtude e fortuna, favorecida por Deus e pela Igreja, da qual é agora chefe, e que poderá agora se tornar chefe desta redenção. Isso não será muito difícil, se você recordar as ações e a vida dos homens que mencionei. E, apesar de terem sido homens grandes e maravilhosos, eles eram simplesmente homens e nenhum deles teve mais oportunidade do que as oferecidas agora, pois os empreendimentos deles não foram mais justos ou mais fáceis do que este e nem foi Deus mais amigo deles do que seu.

Entre nós há muita justiça, pois essa guerra é exatamente o que é necessário, e as armas são levantadas quando não há nenhuma esperança senão nelas. Aqui há a maior disposição, e onde a disposição é grande as dificuldades não podem ser grandes se você segue o exemplo daqueles homens que apontei. Além disso, há exemplos extraordinários das formas como o desejo de Deus tem se manifestado: o mar se abriu, uma nuvem revelou o caminho, a pedra verteu água, choveu maná; tudo contribuiu para a sua grandeza; você deve fazer o restante. Deus não está disposto a fazer tudo e, assim, tirar o nosso livre arbítrio e parte da glória que compete a nós.

E não é de admirar que nenhum dos italianos citados tenha conseguido conquistar tudo o que é esperado da sua ilustre casa. Se, em tantas revoluções na Itália e em tantas campanhas de guerra, sempre pareceu que a virtude militar estivesse extinta, isso aconteceu porque a antiga ordem das coisas não era boa e nenhum de nós soube como encontrar uma nova ordem. E nada traz mais honra a um homem do que estabelecer novas leis e novos regulamentos quando ele acaba de se tornar príncipe. Estas coisas, quando são bem fundadas e dignas, fazem com que ele seja reverenciado e admirado, e na Itália não faltam oportunidades para colocar essas coisas em uso de diversas formas.

Aqui existe grande valor no corpo, enquanto falta valor na cabeça. Observe atentamente os duelos e os combates individuais, o quão superiores os italianos são na força, na destreza e no engenho. Mas, quando comparamos os exércitos, sempre saem perdendo, e isso resulta inteiramente da fraqueza dos líderes, já que aqueles que são capazes não são obedientes, e cada um julga saber melhor, não tendo surgido até agora ninguém que tenha se sobressaído ou pela virtude ou pela sorte, de forma que os outros cedam a ele. Daí resulta que, durante tanto tempo, e em tantos combates, nos últimos vinte anos, sempre que se formou um exército inteiramente italiano, ele sempre teve desempenho ruim, como demonstram Taro, Alexandria, Cápua, Gênova, Vailá, Bolonha, Mestri.

Se, portanto, a sua ilustre casa quer seguir aqueles homens notáveis que redimiram as suas províncias, é necessário, antes de tudo, como verdadeiro fundamento de qualquer empreendimento, providenciar tropas próprias, pois não há soldado mais fiel, verdadeiro e melhor. E, apesar de eles serem bons individualmente, juntos serão ainda melhores quando se virem comandados pelo seu príncipe, honrados e mantidos por ele. Portanto, é necessário preparar esses exércitos com armas, para poder, com a virtude italiana, se defender dos estrangeiros.

E, apesar de as infantarias suíça e espanhola serem consideradas terríveis, em ambas existe um defeito, razão pela qual uma terceira infantaria poderia não somente se opor a elas, mas se poderia depender dela para derrotá-los. Pois os espanhóis não resistem a cavalarias e os suíços têm medo dos infantes quando os encontram em batalha. Devido a isso, e como já vimos e ainda se vê, os espanhóis não resistem à cavalaria francesa e os suíços são derrotados por infantarias. E, apesar de uma prova plena deste último caso não existir, mesmo assim houve evidência disso na batalha de Ravena, quando as infantarias espanholas lutaram contra os batalhões alemães, que seguem as mesmas táticas dos suíços. Quando os espanhóis, com a agilidade do corpo e o auxílio dos seus escudos, avançaram debaixo das lanças dos alemães e ficaram fora de perigo, certos de poderem atacar, enquanto os alemães permaneciam sem saída, se a cavalaria não os tivesse atacado, eles teriam acabado com todos os inimigos. É possível, portanto, conhecendo os defeitos dessas infantarias, organizar uma diferente, que resista à cavalaria e não tenha medo dos infantes, isso sem precisar criar uma nova ordem, mas simplesmente uma nova versão da antiga. E estes são os tipos de melhorias que aumentam a reputação e o poder de um príncipe novo.

Não se deve, portanto, deixar passar a oportunidade de a Itália finalmente ver o seu redentor. Nem é possível explicar com que amor ele seria recebido em todas as províncias que têm sofrido tanto devido a essas invasões estrangeiras, com que sede de vingança, com que obstinada fé, com que devoção, com que lágrimas. Quais portas se fechariam para ele? Quem lhe negaria obediência? Que inveja o prejudicaria? Qual italiano se negaria a homenageá-lo? Para todos nós, esse bárbaro domínio fede. Deixe, portanto, que a sua ilustre casa se encarregue disso com aquela coragem e aquela esperança com que todas as causas justas são abraçadas, a fim de que, sob a sua insígnia, esta pátria se torne nobre e, sob os seus auspícios, se verifique aquele ditado de Petrarca:

> *Virtù contro a Furore*
> *Prenderà l'arme, e fia il combatter corto;*
> *Che l'antico valore*
> *Nell'italici cor non è ancor morto.*

> Virtude contra Furor
> Pegará em armas e ao combate dará porto,
> Pois o antigo valor
> No coração itálico não está morto.

Fonte: Dante MT Std

#Novo Século nas redes sociais

gruponovoseculo.com.br